Cultiver le goût de lire et d'écrire

Enseigner la lecture
et l'écriture
par une approche
équilibrée

Jocelyne Prenoveau

 **Chenelière
Éducation**

Cultiver le goût de lire et d'écrire
Enseigner la lecture et l'écriture par une approche équilibrée

Jocelyne Prenoveau

© 2007 Les Éditions de la Chenelière inc.

Édition : Lise Tremblay
Coordination : Nadine Fortier
Révision linguistique : Ariane Fortin-Brochu
Correction d'épreuves : Anne-Marie Théorêt
Conception graphique et infographie : Fenêtre sur cour
Conception de la couverture : Josée Bégin
Illustration de la couverture : Fil et Julie
Illustrations : Robert Dolbec
Photographies : Transmédia

**Catalogage avant publication
de Bibliothèque et Archives Canada**

Prenoveau, Jocelyne

Cultiver le goût de lire et d'écrire : enseigner la lecture et l'écriture par une approche équilibrée

Comprend des réf. bibliogr.

ISBN 978-2-7650-1255-9

1. Lecture (Enseignement primaire). 2. Français (Langue) – Écriture – Étude et enseignement (Primaire). 3. Communication orale – Étude et enseignement (Primaire). 4. Classes (Éducation) – Conduite. 5. Lecture – Compréhension – Problèmes et exercices. I. Titre.

LB1525.P73 2007   372.4   C2006-942152-8

**Chenelière
Éducation**

7001, boul. Saint-Laurent
Montréal (Québec)
Canada H2S 3E3
Téléphone : 514 273-1066
Télécopieur : 514 276-0324
info@cheneliere.ca

ISBN 978-2-7650-1255-9

Dépôt légal : 1er trimestre 2007
Bibliothèque et Archives nationales du Québec
Bibliothèque et Archives Canada

Imprimé au Canada

1 2 3 4 5 ITG 11 10 09 08 07

Nous reconnaissons l'aide financière du gouvernement du Canada par l'entremise du Programme d'aide au développement de l'industrie de l'édition (PADIÉ) pour nos activités d'édition.

Gouvernement du Québec – Programme de crédit d'impôt pour l'édition de livres – Gestion SODEC.

Dans cet ouvrage, le masculin est utilisé comme représentant des deux sexes, sans discrimination à l'égard des hommes et des femmes, et dans le seul but d'alléger le texte.

DANGER
LE PHOTOCOPILLAGE
TUE LE LIVRE

À tous mes élèves passés, présents et futurs… et à la mémoire de ma mère.

Remerciements

Remerciements

Plusieurs personnes m'ont grandement encouragée et épaulée pendant la rédaction de ce livre. Certaines d'entre elles ont également influencé ma pratique au fil des années. Je me dois de les en remercier.

Merci à François Legault de m'avoir forcée à sortir de ma classe pour raconter mon expérience. Merci d'avoir cru en moi. Sans toi, je n'aurais pas écrit ce livre.

Merci à la D^re Cynthia A. Farest. Vous avez allumé l'étincelle. Il y a beaucoup de vous dans cet ouvrage.

Merci à mon amie Marie-Josée Millette. Tu es une source d'inspiration depuis mes premiers jours dans l'enseignement.

Merci à Georgie Lubin, ma collègue et amie. Je n'aurais pas pu trouver une meilleure alliée pour m'accompagner dans ce changement de cap.

Merci à Kristine Lalonde pour ton enthousiasme à plonger dans ce projet avec nous.

Merci à Liliane D'aoust pour ta complicité artistique pendant plusieurs années. Ta passion pour les arts est contagieuse!

Merci à Line Lapierre d'être une directrice d'un si grand soutien. Nos discussions sont toujours très riches de sens pour moi.

Merci à France Robitaille pour ton jugement si sûr. Nos nombreuses discussions m'ont beaucoup stimulée. Tu m'as vraiment aidée à concrétiser ce projet d'écriture.

Merci à Lise Tremblay pour tes conseils judicieux et tes encouragements.

Merci à Yves Nadon pour ta confiance. Tu es un modèle pour moi.

Merci à Jovette Gagnon, Léo-James Lévesque et Martine Leclerc pour vos précieuses relectures.

Merci à Nadine Fortier pour la touche spéciale. Tu as grandement enjolivé mon livre.

Merci à Ariane Fortin-Brochu pour les nombreuses questions et les mots justes.

Merci à Monique Larouche, directrice à la retraite. Il y a plusieurs années, vous avez cru en cette nouvelle petite enseignante et vous lui avez donné des ailes. Elle n'a jamais oublié.

Merci à Nicole Forget. C'est toi qui m'as donné le goût d'enseigner à lire aux tout-petits. Tu semblais toi-même avoir tant de plaisir à le faire.

Merci à Lise Giasson de la bibliothèque d'Ahuntsic à Montréal. Tu nous as aidés chaque année à enrichir notre coin lecture.

Merci à Monique Pagé, secrétaire et âme de notre école. Tu as toujours répondu si patiemment à mes nombreuses demandes... Je te souhaite une bonne retraite!

Merci à tous mes collègues de l'école Saint-Benoît ainsi qu'aux enseignants et enseignantes que je rencontre depuis plusieurs années. Vous donnez un sens très noble à notre profession et vous m'inspirez beaucoup.

Merci aux parents de mes élèves. J'apprécie sincèrement votre engagement, votre soutien et votre confiance au fil des ans.

Merci à mes amies Manon, Éliane, Sylvie, Nelly et les deux Joanne qui m'écoutez si patiemment vous raconter ma passion. Votre affection m'est très chère.

Et finalement, un très gros merci aux membres de ma famille pour votre soutien dans le meilleur comme dans le pire. Je vous aime profondément.

Préface

Il me semble que c'était hier. J'étais un de ceux qui encourageaient Jocelyne à mettre sa classe sur papier. Nous l'offrir en cadeau.

Je ne croyais pas qu'elle le ferait si rapidement et si généreusement.

Dans le *Québec français* de l'hiver 2007, Suzanne-G. Chartrand, didacticienne du français de l'Université Laval, écrit :

> *[...] Les études didactiques existent, mais elles sont peu connues des enseignants qui n'ont toujours pas reçu une formation adéquate pour que le temps passé à « faire de la grammaire » (syntaxe et orthographe) soit formateur pour les élèves, qu'il contribue réellement à développer leurs compétences en lecture et en écriture, ce que ne font ni les dictées, ni les exercices répétitifs, ni les projets des élèves élaborés à partir de leurs intérêts. Dans la classe, c'est aux enseignants qu'il revient de planifier des séquences d'enseignement où lecture, écriture et travail sur la langue sont articulés concrètement et dont les effets peuvent être évalués avec précision. Ni le matériel didactique ni les formations du MELS n'ont encore proposé quoi que ce soit en ce sens. [...]*

Mais si le MELS n'a rien proposé, certains enseignants n'ont pas attendu que vienne à eux cette formation ou qu'apparaissent les propositions. Comme ils n'ont *toujours pas reçu une formation adéquate* à l'université, ces professionnels se sont questionnés, ont cherché réponses à leurs questions, ont fouillé la littérature didactique, et ont observé des collègues. Ils n'ont pas attendu une réforme éducative imposée pour bouger. Jocelyne Prenoveau est une de ces enseignantes. Et chanceux que nous sommes, nous avons la chance de lire sa pédagogie, d'observer sa classe et de grappiller ce qui nous plaît.

Ce livre regorge tellement d'idées, de connaissances, de stratégies et d'exemples que vous y reviendrez souvent. L'auteure nous ouvre généreusement les portes de sa classe et de sa pensée. Elle nous offre ce que nous, les enseignants, avons besoin : du temps pour observer ce que font des maîtres-enseignants, de voir clairement comment s'articule une pédagogie centrée sur les livres et les enfants, de comprendre comment, pratiquement, *lecture, écriture et travail sur la langue sont articulés concrètement et dont les effets peuvent être évalués avec précision*. Elle nous fait réaliser qu'enseigner avec des livres est simple et complexe à la fois.

Jocelyne représente l'avenir : des enseignants qui n'attendent plus, qui se posent des questions et qui cherchent des réponses. Et par collégialité, ils savent reconnaître que certains sont des experts et ne se gênent pas pour rechercher leur expertise.

Je lancerai un pavé : le MELS n'a pas besoin de proposer quoi que ce soit. Les propositions existent déjà. Elles sont livrées ici, dans les pages de ce livre, par une enseignante extraordinaire.

Yves Nadon
Enseignant et auteur

Table des matières

Remerciements IV
Préface V
Avant-propos VII
Introduction IX

Partie 1   La lecture   1

Chapitre 1: La conscience phonologique

Les rimes 4
Les syllabes 6
Les sons initiaux et les sons finaux 6
Les phonèmes 8
L'apprentissage de l'alphabet 9

Chapitre 2: La lecture partagée

Les grands livres 12
Le partage des grands livres 14
La planification 15
La lecture du grand livre 15
L'enseignement des stratégies de lecture 19
Le temps alloué à la lecture partagée 29

Chapitre 3: La lecture guidée

L'organisation 31
Le matériel 32
Le partage des livres 36
La flexibilité des groupes 36
Le déroulement 36
Des exemples d'animations selon les différents
   niveaux d'habileté 38
L'utilisation du schéma du récit 41
La compréhension des relations entre
   les personnages 41
Les cercles de lecture 42
Les activités de prolongement 43
Le temps alloué à la lecture guidée 44
Après la lecture guidée 44
Les activités pour le reste du groupe 45

Chapitre 4: La modélisation et la pratique

La lecture de livres par l'enseignant 49
La lecture autonome 50
Des moments non organisés de lecture
   et d'échanges 52

Chapitre 5: Les études littéraires

Les études thématiques 56
Les études d'auteurs 62

Partie 2   L'écriture   75

Chapitre 6: L'écriture provisoire et personnelle

Les étapes du développement orthographique . . . 78

Chapitre 7: Les leçons et la modélisation

Les leçons aux scripteurs apprentis
   et aux scripteurs débutants 82
L'enseignement des six traits d'écriture 86
Le processus d'écriture 90
L'enseignement de différents genres de textes 92
L'apprentissage de l'épellation des mots 94
La modélisation 98

Chapitre 8: Les différentes activités d'écriture

L'écriture partagée 101
L'écriture interactive 102
L'écriture guidée et l'écriture autonome 103
La chaise de l'auteur 105

Chapitre 9: Les recherches documentaires

Le choix du sujet 107
La constellation d'idées 108
L'organisation 108
Les étapes d'une recherche 110
Des exemples de recherches 113

Partie 3   L'évaluation   123

Chapitre 10: L'évaluation de la lecture

L'identification des mots 125
La compréhension du texte 129
La fluidité 130
La conscience phonologique 131
L'attitude et les champs d'intérêt de l'élève 131
La communication aux parents 132

Chapitre 11: L'évaluation de l'écriture

Les étapes de progression des scripteurs 133
Le processus d'écriture 135
La communication aux parents 135

Partie 4   L'organisation   137

Chapitre 12: L'organisation de la classe

L'aménagement de la classe 139
L'horaire d'une journée type 143
Les ateliers 143

Chapitre 13: La mise en œuvre graduelle de l'approche

Mon expérience 145
Le travail d'équipe 148
Le partenariat avec les parents 149

Bibliographie 153

Annexes 155

Avant-propos

Lorsque j'ai commencé à enseigner en première année du primaire, je travaillais avec les manuels scolaires que les écoles me procuraient. Parce que j'étais une jeune enseignante consciencieuse, je suivais méticuleusement les indications des guides pédagogiques. Je ne sautais aucune leçon et mes cahiers d'accompagnement étaient remplis jusqu'à la dernière page. Tous mes élèves lisaient le même texte en même temps. Tout le monde assistait à la même leçon en même temps. Tout le monde remplissait la même page du cahier d'exercices en même temps. Au bout du compte, je m'attendais à un rendement similaire de la part de tous mes élèves... comme s'ils avaient tous les mêmes aptitudes, le même rythme d'apprentissage, la même connaissance de la langue française, le même bagage familial et les mêmes champs d'intérêt.

Malgré ma bonne volonté, je voyais un fossé se creuser entre les enfants quant à leurs différents niveaux d'habileté à lire et à écrire. Même si je leur offrais des séances de récupération après l'école, certains d'entre eux étaient rapidement largués, alors que d'autres piaffaient d'impatience en attendant la suite. Aujourd'hui, je me rends compte que, dans ces conditions, les deux tiers des élèves de ma classe devaient être plutôt insatisfaits de ne pas pouvoir progresser à leur rythme. Les moins rapides n'arrivaient jamais à lire plus de 10 % des mots des textes que je leur proposais dans leur manuel. Les plus rapides terminaient de lire les textes avant que le groupe ne soit rendu à la fin de la première ligne. Et moi de m'évertuer à leur répéter: «Attendez, attendez... N'allez pas trop vite!» Avec cette façon de faire, je ne récoltais que frustrations et mauvaise humeur.

Aussi, je ne peux pas dire que les enfants et moi éprouvions beaucoup de plaisir à lire les textes des manuels scolaires. L'étincelle ne s'allumait que lorsque, pour le plaisir, je lisais un bon livre, un «vrai» livre, à mes élèves, ou bien lorsque nous entamions une recherche documentaire qui nous faisait décrocher de nos manuels scolaires. Ce n'était que dans ces moments privilégiés et malheureusement trop rares que je partageais avec eux mon véritable plaisir de lire et d'apprendre. J'avais également observé que mes élèves étaient très heureux de pouvoir lire à l'occasion les quelques livrets de lecture mis à leur disposition dans la classe. Malgré mes observations, je m'obstinais à suivre la méthode que je croyais éprouvée, puisque approuvée par des pédagogues d'expérience.

Quelques années plus tard, j'ai entrepris des études sur l'enseignement de la lecture et de l'écriture à l'Arizona State University. J'ai alors compris que mon sentiment de ne pas tout faire ce qu'il fallait comme il le fallait était légitime. C'est là que j'ai vraiment appris comment enseigner à lire et à écrire aux enfants. Les ouvrages de Jocelyne Giasson, professeure à l'Université Laval, que j'avais pourtant lus pendant mes études universitaires, ont dès lors commencé à prendre tout leur sens.

Depuis cinq ans, dans ma classe de premier cycle[1] multiâge, je mets en pratique une approche véritablement centrée sur l'élève (et non sur un quelconque manuel scolaire ou guide pédagogique). Une approche qui permet un enseignement vraiment différencié. Une approche basée sur les plus récentes recherches en éducation et qui met le livre et la littérature jeunesse au centre des apprentissages, comme le propose le *Programme de formation de l'école québécoise*. Une approche qui me donne l'impression, en fin d'année, d'avoir fait le plus possible et le mieux possible pour chacun de mes élèves. Une approche qui éveille le plaisir de lire, d'écrire, d'apprendre et de communiquer. Une approche équilibrée qui facilite l'apprentissage de la lecture et de l'écriture. Une approche qui me donne du plaisir, à moi aussi.

À travers cet ouvrage, je tenterai de vous présenter en détail les différentes activités de lecture et d'écriture que j'ai expérimentées dans ma classe de premier cycle au cours des cinq dernières années. Vous y trouverez, à titre d'exemples, des travaux d'élèves recueillis au fil de ces années.

Je suis en constante réflexion par rapport à ma démarche professionnelle. Je ne prétends pas vous donner ici une recette miracle. Je vous propose plutôt quelques pistes que vous pourrez explorer tranquillement avec vos élèves et vos collègues. Je vous suggère d'intégrer à votre pratique actuelle les activités qui vous inspireront le plus. Adaptez-les et modifiez-les à votre guise pour les faire complètement vôtres. Allez-y tranquillement. En lisant ce livre, rappelez-vous que la transformation de ma pratique s'est faite de façon progressive. Lentement, mais sûrement.

L'autre jour, je discutais lecture avec Maha, une ancienne élève maintenant en quatrième année. Elle me racontait passionnément ses plus récentes lectures, je lui racontais les miennes :

MOI : Je suis heureuse de t'entendre parler des livres que tu aimes,
       Maha. Tu étais et tu es toujours une merveilleuse lectrice.
MAHA : Oui. J'aime beaucoup lire. C'est grâce à toi, Jocelyne.
MOI : Grâce à moi ?
MAHA : Oui. C'est toi qui m'as appris à lire.

Je vous souhaite de découvrir ce même plaisir que mes collègues et moi avons découvert au cours de l'implantation graduelle de l'approche proposée ici. Bonne lecture !

---

1. Au Québec, le premier cycle correspond aux deux premières années du primaire.

Introduction

Au cours des dernières années, j'ai rencontré de nombreux enseignants qui, comme moi, souhaitaient revoir leur pratique pour mieux adapter leur enseignement aux besoins de leur clientèle. Pour ma part, j'ai eu la chance de pouvoir me plonger dans les plus récentes recherches en éducation et de comprendre enfin comment mettre en place une approche différenciée de l'enseignement de la lecture et de l'écriture, c'est-à-dire comment personnaliser mon enseignement en fonction des différences constatées dans ma classe.

Par conséquent, je n'utilise plus de manuels scolaires pour enseigner à lire et à écrire aux enfants. Je mets plutôt en pratique des activités qui requièrent l'utilisation de « vrais » livres : des grands livres, des livrets de lecture gradués ainsi que des livres de littérature jeunesse.

Ma pratique en classe s'inspire de l'approche équilibrée. Elle met le texte en valeur et construit en parallèle la connaissance graphophonétique (la correspondance entre les sons et les lettres). Elle encourage les découvertes et privilégie parfois un enseignement explicite. Elle augmente la capacité des élèves à comprendre les textes lus et à y réagir. Finalement, elle encourage la participation active de l'élève et vise à accroître sa motivation et son plaisir de lire.

Un programme complet en enseignement du français suppose des activités quotidiennes de lecture, d'écriture, de communication orale et d'acquisition de la culture littéraire (appréciation d'œuvres littéraires). Pour ma part, je consacre trois heures sur cinq par jour à l'enseignement du français. La plupart des autres matières sont intégrées à l'intérieur de ce bloc de trois heures.

Chaque matin, deux heures sont prévues pour les activités de lecture et une heure complète, pour l'écriture. « Il ressort de plusieurs recherches que la lecture et l'écriture s'appuient mutuellement » (Giasson, 2003, p. 62). La lecture et l'écriture vont de pair ; mes élèves lisent et écrivent donc chaque jour. Ils sont plongés dans des activités signifiantes et différenciées en fonction de leurs niveaux d'habileté, de leurs besoins et de leurs champs d'intérêt. Mon rôle est de les guider, de leur fournir le matériel approprié en fonction de leurs profils individuels et de leur proposer des activités requérant un degré d'autonomie variable.

La communication orale fait partie intégrante des activités quotidiennes de ma classe. Les enfants discutent régulièrement de leurs lectures et de leurs écrits. Je les encourage à le faire. Je favorise les interactions verbales en grand groupe et en petits groupes. Les élèves améliorent ainsi leur connaissance de la langue française (cela est particulièrement vrai pour les enfants allophones) et construisent leur pensée. Ils apprennent à écouter les autres, à formuler clairement leurs idées afin d'être compris et à adapter leur discours en fonction de leurs interlocuteurs et des situations dans lesquelles ils se trouvent. La communication orale sera abordée tout au long de ce livre puisqu'elle est intégrée à toutes les activités proposées.

Ce livre se divise en quatre parties.

La première partie porte sur la lecture. Dans cette section, je traiterai de conscience phonologique, de lecture partagée, de lecture guidée, de modélisation, de pratique et d'études littéraires.

La deuxième partie porte sur l'écriture. J'aborderai alors l'écriture provisoire et personnelle, les leçons et la modélisation par l'enseignant ainsi que les différentes activités d'écriture que nous réalisons dans ma classe.

Dans la troisième partie, je parlerai d'évaluation. Je m'attarderai à l'évaluation de la lecture et de l'écriture.

La quatrième et dernière partie de ce livre traitera de l'organisation de ma classe, de l'implantation graduelle de l'approche équilibrée dans les classes de premier cycle de mon école et de l'importance du partenariat avec les parents.

Partie 1

La lecture

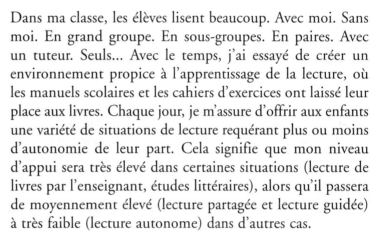

Dans ma classe, les élèves lisent beaucoup. Avec moi. Sans moi. En grand groupe. En sous-groupes. En paires. Avec un tuteur. Seuls... Avec le temps, j'ai essayé de créer un environnement propice à l'apprentissage de la lecture, où les manuels scolaires et les cahiers d'exercices ont laissé leur place aux livres. Chaque jour, je m'assure d'offrir aux enfants une variété de situations de lecture requérant plus ou moins d'autonomie de leur part. Cela signifie que mon niveau d'appui sera très élevé dans certaines situations (lecture de livres par l'enseignant, études littéraires), alors qu'il passera de moyennement élevé (lecture partagée et lecture guidée) à très faible (lecture autonome) dans d'autres cas.

Les activités que je propose quotidiennement aux élèves sont les suivantes :

- lecture de livres par l'enseignant ;
- lecture partagée ;
- lecture guidée ;
- études littéraires thématiques ;
- études d'auteurs ;
- lecture autonome.

Chacune de ces activités vise un objectif particulier, exige une participation plus ou moins grande de la part de l'enseignant et de l'élève, et requiert un matériel spécifique. Voici un tableau comparatif qui présente sommairement toutes les activités de lecture proposées.

	Le but	L'enseignant...	Les élèves...	Le matériel
Lecture de livres par l'enseignant	Accroître le plaisir et la compréhension	• lit le livre • est un modèle	• écoutent • discutent	• littérature de qualité
Lecture partagée	Apprendre à lire	• lit • invite les élèves à lire avec lui • enseigne les stratégies de lecture	• sont attentifs à la lecture de l'enseignant • lisent avec lui quand ils sont prêts	• livres géants • affiches • transparents • textes prévisibles
Lecture guidée	Apprendre à lire	• choisit des livres de niveau approprié • guide les élèves	• lisent !	• livres gradués (et prévisibles pour les lecteurs apprentis et les lecteurs débutants)
Études littéraires	Lire et comprendre des textes littéraires	• guide cette compréhension • lit parfois	• lisent • écoutent • discutent • rédigent	• littérature de qualité
Lecture autonome	Pratiquer	• fournit les livres de niveau approprié à chaque enfant	• lisent !	• assortiment de livres (pas nécessairement de très grande qualité mais d'un bon niveau pour l'enfant)

Parallèlement aux activités dédiées à l'apprentissage de la lecture, je mets en pratique toute une série d'activités qui favorisent chez l'élève l'acquisition de la conscience phonologique. C'est ce dont il sera question au premier chapitre de cette section.

Chapitre 1 | La conscience phonologique

Les élèves qui arrivent en première année n'ont pas tous les mêmes acquis en ce qui concerne l'émergence de la lecture et de l'écriture. Certains ont été très stimulés à la maison et ont déjà eu accès à de nombreux livres, alors que d'autres n'ont pas eu cette chance. Pour pallier ces différences, il faut promouvoir le livre et l'écrit dans la classe et s'assurer, par des interventions diversifiées, que chaque enfant acquière les connaissances de base nécessaires à l'apprentissage de la lecture.

À cet égard, il semble que la conscience phonologique et la connaissance de l'alphabet soient préalables à l'apprentissage de la lecture. Il semble aussi que «les enfants qui arrivent en première année sans la conscience phonologique [soient] plus à risque que les autres» (Savage, 2001, p. 25). Il est donc très important que l'on s'y attarde.

La conscience phonologique est la capacité de reconnaître que, dans le langage parlé, les mots sont formés de syllabes et de phonèmes (un phonème est la plus petite unité de son dans un mot). Certains croient que cette conscience s'acquiert naturellement en lisant, d'autres croient qu'il faut l'enseigner de façon explicite. Pour ma part, je crois qu'il ne faut pas tenir pour acquis que les enfants acquerront la conscience phonologique sans aide. Je pense donc qu'un enseignement direct s'avère nécessaire à cet égard, puisque la conscience phonologique sert d'assise à l'apprentissage de la stratégie graphophonétique (la relation entre les sons et les lettres).

Les activités d'acquisition de la conscience phonologique et de la reconnaissance des lettres devraient être amorcées avant la première année. Toutefois, il m'apparaît important de les poursuivre au premier cycle du primaire. Certains enfants mettent plus de temps que d'autres à devenir habiles à jouer avec les sons du langage parlé. Je dois spécifier que ces activités se déroulent parallèlement aux activités de lecture. Elles permettent de consolider ce qui est acquis et d'acquérir ce qui ne l'est pas.

C'est pourquoi, dès le début de l'année et toute l'année durant, je consacre du temps de classe (une quinzaine de minutes par-ci, par-là) à des activités ludiques qui incitent mes élèves à décortiquer le langage parlé. Les activités sont échelonnées selon leurs niveaux de difficulté. Nous voyons d'abord les rimes, puis les syllabes, les sons initiaux et finaux des mots, et finalement la segmentation et la fusion de phonèmes. J'accorde également une attention particulière à l'apprentissage des lettres de l'alphabet.

Important

Toutes les activités liées à l'acquisition de la conscience phonologique se font oralement.

Voici quelques suggestions d'activités simples à réaliser avec vos élèves[2] :

Les rimes

La reconnaissance de rimes

1. Je remets deux cartons à chaque enfant : l'un sur lequel est écrit *OUI*, l'autre sur lequel est écrit *NON*. Je dis deux mots et je demande aux élèves si les mots riment. Les enfants répondent en montrant le bon carton.

   Exemples :

   - gant, banc
   - cou, mou
   - jus, beau
   - rond, long
   - main, bain
   - joue, lait
   - bas, non
   - beau, mot
   - nez, chez
   - riz, pot

2. Je choisis trois mots dont deux riment. Trois enfants se lèvent. À tour de rôle, j'assigne un mot à chacun de ces élèves : je touche sa tête et je dis le mot à haute voix. L'élève à qui j'ai assigné le mot qui ne rime pas doit s'asseoir.

   Exemples :

   - chat, rat, **dos**
   - loup, **seau**, fou
   - **bois**, fleur, peur
   - scie, **chou**, lit
   - long, pont, **beau**

3. Chaque élève dessine au choix deux objets dont les noms riment (une feuille par objet dessiné). Je mélange ensuite tous les dessins des élèves et je les distribue aléatoirement. Chacun doit trouver le camarade qui a un mot qui rime avec le sien. On peut également modifier cette activité en utilisant des images ou des objets réels déposés dans une boîte.

---

2. Ces activités sont en partie adaptées des livres de Savage (2001) et d'Adams et autres (2000).

La conscience phonologique

La production de rimes

1. Pour cette activité, j'utilise un ballon en mousse (ou un ourson en peluche)[3]. Un élève dit un mot. Il lance ensuite le ballon à un camarade qui doit dire un mot qui rime avec celui-ci.

2. Je demande aux enfants de compléter des phrases avec des mots qui riment :

Exemples :

- Une **souris** qui dort dans un... (lit)
- Un **garçon** qui chante une... (chanson)
- Un **mouton** qui mange du... (gazon)
- Un **chat** qui boit du lait au... (chocolat)
- Un **bœuf** qui casse un... (œuf)
- Une **mouche** qui prend une... (douche)
- Une **abeille** qui se... (réveille)

- Un **renard** qui arrive en... (retard)
- Un **oiseau** qui vole... (haut)
- Un **lion** qui conduit un... (camion)
- Écris les lettres de *a* à *o* avec une craie ou un... (stylo)
- Une **demoiselle** qui porte un pantalon avec des... (bretelles)
- Danse, danse sur le **plancher**, danse, danse sans... (t'arrêter)
- Une **chèvre** qui **broute** au beau milieu de la... (route)

Lorsque je lis les phrases, j'accentue la première rime :

Une souris « **iiii** » qui dort dans un...

Un garçon « **on** » qui chante une...

3. Sur l'air de *Si tu aimes la maternelle (frappe des mains)*, je chante la comptine suivante :

*As-tu déjà vu une **biche**
Dans une **niche** ?*

*As-tu déjà vu une **biche**
Dans une **niche** ?*

*Je n'ai jamais vu cela
Tu me dis n'importe quoi*

*Je n'ai jamais vu une **biche**
Dans une **niche***

Puis :

*As-tu déjà vu une **mouche**
Prendre une **douche** ?*

*As-tu déjà vu une **mouche**
Prendre une **douche** ?*

*Je n'ai jamais vu cela
Tu me dis n'importe quoi*

*Je n'ai jamais vu une **mouche**
Prendre une **douche***

Ou :

*As-tu déjà vu un **train**
Prendre un **bain** ?*

*As-tu déjà vu un **train**
Prendre un **bain** ?*

*Je n'ai jamais vu cela
Tu me dis n'importe quoi*

*Je n'ai jamais vu un **train**
Prendre un **bain***

---

3. J'utilise souvent le ballon en mousse lors des activités de conscience phonologique. On peut s'en servir pour plusieurs des activités proposées. Les enfants sont toujours très heureux quand je sors le ballon.

Les enfants adorent cette activité! Lorsqu'ils ont compris comment cette chanson est construite, ils peuvent inventer des rimes à leur tour. Et tout le monde chante en chœur les rimes trouvées par les pairs. Lorsque nous faisons des sorties éducatives en autobus, nous entendons fréquemment les enfants chanter ce refrain en y intégrant des rimes inventées.

Les syllabes

Je présente la syllabe comme « un gros morceau de mot ».

1. À tour de rôle, chaque enfant dit son prénom et marque chaque syllabe en frappant dans ses mains. Il compte le nombre de syllabes.

   (Commencer cette activité par quelques exemples.)

2. Les élèves se dispersent dans le local. Ils font simultanément des pas de géant pour marquer et compter les syllabes qu'ils entendent dans un mot que je dis. Pour plus d'espace, cette activité peut être réalisée au gymnase.

   Voici une liste de mots que vous pouvez utiliser :

   chanson, animal, enfant, imagination, alligator, télévision, printemps, mardi, vendredi, poisson, professeur, domino, ordinateur, réfrigérateur, éléphant, souris, hôpital

Les sons initiaux et les sons finaux

Les enfants doivent apprendre à distinguer les sons qu'ils entendent au début et à la fin des mots. Les consonnes dont les sons s'allongent (telles que *l* et *r*) sont plus faciles à percevoir que les consonnes à sons plus courts (telles que *p* et *b*). Il importe donc de commencer chaque activité par des mots dont les premiers sons s'allongent. Il faut également faire attention de ne pas nommer les lettres des mots. C'est bien de **sons** dont il est question ici.

Les sons initiaux

1. Je prononce quatre mots qui commencent par le même son (j'accentue le premier son de chaque mot). Puis, chaque enfant chuchote le son initial à un partenaire.

   Exemples :

   - rue, rame, rouge, reste   L'enfant doit chuchoter « rrrrr ».
   - chat, chien, chose, chou   L'enfant doit chuchoter « chchchch ».
   - sac, soupe, sur, soulier   L'enfant doit chuchoter « ssss ».

2. Je pense à un objet familier qui se trouve dans la classe. Je demande aux enfants d'essayer de deviner à quel objet je pense à partir d'indices que je leur fournis :

   « Je vois quelque chose dans la classe. Ce quelque chose commence par le son "lll" ».

La conscience phonologique

Je laisse les enfants essayer de deviner. Nous discutons, puis je donne un autre indice :

« Il y a beaucoup de mots à l'intérieur. » C'est un livre.

Les élèves peuvent ensuite créer leurs propres devinettes à partir d'objets de leur environnement.

3. Pour ce jeu et les suivants, j'utilise le ballon en mousse que les enfants se lancent de l'un à l'autre. Je dis un mot et le redis ensuite sans en prononcer le son initial. Je forme ainsi un nouveau mot. Je demande alors aux élèves de trouver le son que j'ai enlevé (pas la lettre !).

Exemples :

- seau, eau
- rage, âge
- marche, arche
- fou, ou
- santé, hanté
- lune, une
- faire, air
- chou, ou
- mille, île
- dort, or
- quoi, oie
- peur, heure
- gomme, homme
- passer, assez

4. Je dis un mot. Je demande ensuite aux élèves d'ajouter un son initial à ce mot pour que celui-ci en forme un nouveau. Les enfants doivent découvrir le nouveau mot à l'aide de mes indices.

Exemples :

Je dis le mot *arc* et je demande aux enfants : « Quel nouveau mot je peux former en ajoutant "ppp" au début du mot *arc* ? » C'est le mot *parc* !

Voici une liste de mots que vous pouvez utiliser :

• *île*	J'ajoute « vvv » et ça devient ?	*ville*
• *haute*	J'ajoute « sss » et ça devient ?	*saute*
• *arme*	J'ajoute « lll » et ça devient ?	*larme*
• *as*	J'ajoute « t-t-t » et ça devient ?	*tasse*
• *hâte*	J'ajoute « p-p-p » et ça devient ?	*pâte*
• *homme*	J'ajoute « p-p-p » et ça devient ?	*pomme*

Lorsque les enfants sont habiles à ce jeu, on peut le complexifier en utilisant des mots à double consonne :

• *leur*	J'ajoute « fff » et ça devient ?	*fleur*
• *lui*	J'ajoute « p-p-p » et ça devient ?	*pluie*
• *leur*	J'ajoute « p-p-p » et ça devient ?	*pleure*
• *riz*	J'ajoute « k-k-k » et ça devient ?	*cri*
• *lit*	J'ajoute « p-p-p » et ça devient ?	*pli*
• *rang*	J'ajoute « p-p-p » et ça devient ?	*prend*

Plus tard, le jeu peut être refait à l'envers : je dis un mot et je demande aux élèves d'enlever le son initial pour former un nouveau mot.

Exemple :

Je dis le mot *parc* et je demande aux enfants : « Quel nouveau mot puis-je former en enlevant "ppp" au début du mot *parc* ? » C'est le mot *arc* !

Les sons finaux

1. Je nomme un aliment que j'aime particulièrement manger et j'accentue le son final du mot :

   «J'adore les poivron-on-on-**ons**. J'adore aussi le chocola-a-a-**at**!» Les enfants découvrent ainsi les sons finaux des mots *poivrons* et *chocolat*. Puis, je leur demande de nommer à leur tour les aliments qu'ils préfèrent et d'accentuer les sons finaux des mots.

2. Je dis un mot et je nomme un phonème qui se trouve dans ce mot. Je demande ensuite aux élèves de préciser si le phonème se trouve au début ou à la fin du mot.

   Voici quelques mots que vous pouvez utiliser :

   Le mot est *sac*.   Est-ce que le son «s» est au début ou à la fin du mot?
   Le mot est *fleur*.   Est-ce que le son «r» est au début ou à la fin du mot?
   Le mot est *main*.   Est-ce que le son «m» est au début ou à la fin du mot?
   Le mot est *peur*.   Est-ce que le son «r» est au début ou à la fin du mot?
   Le mot est *parc*.   Est-ce que le son «k» est au début ou à la fin du mot?

Les phonèmes

Lorsque les enfants reconnaissent bien les sons initiaux et les sons finaux, ils sont prêts à passer à des activités de segmentation et de fusion des phonèmes.

La segmentation des phonèmes

En utilisant la grille à phonèmes (voir l'annexe A-1), les élèves doivent trouver le nombre de phonèmes qu'un mot contient. J'ai un transparent de la grille et chaque élève en a une photocopie. Je dis un mot et, à l'aide de jetons, les élèves doivent trouver le nombre de phonèmes du mot (un jeton pour chaque phonème). Quand tous les élèves ont déposé leurs jetons, je fais la même chose sur mon transparent de façon que tous voient la bonne réponse sur l'écran. Puis, nous discutons. Les élèves s'exercent ainsi à segmenter chaque mot en phonèmes.

Voici une liste de mots que vous pouvez utiliser pour cet exercice (il y a jusqu'à trois phonèmes par mot) :

■ lac (3)	l...a...c		■ bouc (3)	b...ou...c
■ par (3)	p...a...r		■ mur (3)	m...u...r
■ je (2)	j...e		■ la (2)	l...a
■ eau (1)	o		■ sous (2)	s...ou
■ sur (3)	s...u...r		■ chaud (2)	ch...o
■ chat (2)	ch...a		■ dur (3)	d...u...r
■ loup (2)	l...ou			

Une activité à l'aide de la grille à phonèmes

La fusion des phonèmes

Je me transforme en robot et je dis un mot « secret » aux élèves. Les enfants doivent deviner le mot et le chuchoter à un camarade. Encore une fois, il est important pour l'enseignant de prononcer le son des lettres sans nommer ces dernières.

Exemples :

- Pour ma fête, j'ai mangé du « g...a...t...o » (gâteau).

- C'est l'hiver, alors je mets mon « m...an...t...o » (manteau).

- Mon fruit préféré est le « m...e...l...on » (melon).

- Pour découper mon dessin, j'ai besoin de « s...i...z...o » (ciseaux).

- J'aime les longues oreilles du « l...a...p...in » (lapin).

Il est souhaitable d'essayer d'intégrer aux situations de tous les jours des activités liées à l'apprentissage de la conscience phonologique. Cela peut être amusant. Par exemple, je peux demander aux élèves dont les prénoms commencent par le son « s » d'aller s'habiller les premiers pour la récréation. Je peux aussi dire certains mots en robot à l'occasion : « Maria, tu veux ranger ton "s...a...c", s'il te plaît ? »

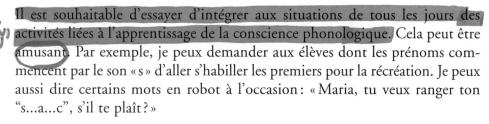

L'apprentissage de l'alphabet

Idéalement, chaque enfant devrait connaître les lettres de l'alphabet lorsqu'il arrive en première année. Comme ce n'est pas toujours le cas, il faut veiller à cet apprentissage parallèlement à l'acquisition de la conscience phonologique et à l'enseignement des stratégies de lecture. Voici quelques suggestions d'activités pour l'apprentissage des lettres de l'alphabet :

- apprendre la chanson de l'alphabet ; la chanter en pointant chaque lettre sur un transparent ou sur une affiche ;

- utiliser des lettres magnétiques pour travailler l'ordre ;

- demander à chaque élève de préparer un abécédaire (voir l'annexe C-4) ;

- jouer au bingo de lettres ;

- décréter une lettre du jour et demander à un élève dont le prénom commence par cette lettre de jouer un rôle particulier dans la classe lors de cette journée ;

- demander aux élèves de fabriquer des lettres à l'aide de pâte à modeler ;

- faire tracer les lettres aux élèves dans un bac à sable ;

- demander à trois ou quatre élèves de former une lettre avec leur corps en s'allongeant sur le sol.

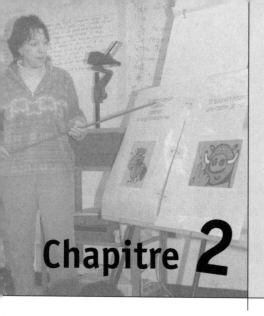

Chapitre 2 La lecture partagée

La lecture partagée est une activité que j'effectue en sous-groupe avec mes lecteurs apprentis et mes débutants (voir le tableau 3.1, page 32). Le but de cette activité est d'apprendre à lire aux enfants et de leur permettre d'intégrer les stratégies de lecture par la relecture de grands livres[4] ou de textes (poèmes, chansons, affiches, textes écrits au tableau, etc.) suffisamment agrandis pour que tous puissent bien les voir.

La lecture partagée résulte de recherches menées, il y a plusieurs années, sur les pratiques en littératie vécue à la maison par les jeunes enfants (voir Holdaway, 1979 ; Parkes, 2000). Ces recherches ont conduit Don Holdaway à adapter certaines activités pour les écoles, par exemple la lecture faite par les parents à l'heure du coucher.

La lecture partagée est une occasion pour l'enseignant de modéliser et d'enseigner les stratégies de lecture. Idéalement, nous utilisons un livre géant, mais, à l'occasion, nous utilisons des textes agrandis ou des transparents que nous projetons sur un écran à l'aide d'un rétroprojecteur. Certains enseignants proposent cette activité à tous les élèves de leur classe, nonobstant le niveau d'habileté de chacun. Pour ma part, dans le contexte de ma classe multiâge de premier cycle, je préfère différencier mon enseignement.

Ainsi, pendant la période de lecture partagée, les lecteurs en transition et les lecteurs compétents s'occupent à une autre tâche en lecture ou en écriture pour laquelle ils sont complètement autonomes. Par exemple, au cours des dernières années, certains élèves de ma classe ont rédigé et créé une pièce de théâtre de marionnettes. D'autres ont conçu un site Web sur un auteur dont nous avions lu plusieurs ouvrages en cours d'année. Cette période peut également être consacrée à l'apprentissage de l'épellation des mots de la semaine, à la fabrication de livres-cassettes pour le centre d'écoute, à la lecture autonome ou à tout autre projet lié à la lecture et à l'écriture.

---

4. Le grand livre peut également être utilisé avec les lecteurs compétents pour la modélisation et l'enseignement des stratégies de compréhension (schéma du récit, cartes sémantiques, etc.) et pour l'initiation des élèves au livre documentaire.

Tranche de vie

Aude-Albert, un lecteur en transition, était dispensé de la lecture quotidienne du grand livre. Chaque jour, pendant la période de lecture partagée, il avait donc choisi de travailler au site Web de notre classe. Un jour, il m'a demandé s'il pouvait prendre part à l'activité de lecture du grand livre avec les lecteurs apprentis et les lecteurs débutants. Il affectionnait particulièrement ce livre. À son grand bonheur, j'ai accepté qu'il se joigne à nous. Ce jour-là, il était particulièrement fier de lire haut et fort.

Cela est un exemple parmi tant d'autres qui démontre que rien ne doit être complètement figé dans la routine. Il faut avoir l'œil et le cœur ouverts !

Les grands livres

Les livres et les textes utilisés avec les lecteurs apprentis et les lecteurs débutants pour la lecture partagée doivent être prévisibles et répétitifs. De plus en plus de livres sont publiés en grand format, mais, dans ma classe, j'utilise surtout des grands livres que mes collègues et moi fabriquons à partir d'albums achetés en librairie. Lors des périodes de lecture partagée, l'utilisation d'albums de qualité écrits par des auteurs appréciés des enfants (et de l'enseignante !) permet aux élèves d'enrichir leur culture littéraire et d'apprendre des stratégies de lecture. Nous travaillons ainsi simultanément à l'acquisition de deux compétences essentielles du programme de français.

Mes critères pour l'achat des albums dédiés à la lecture partagée sont les suivants :

- répétition de mots et de phrases ;
- prévisibilité des mots ;
- simplicité du texte ;
- rythme et rimes ;
- illustrations inspirées directement du texte.

Le grand livre ne doit pas être trop difficile à lire, mais il doit poser un certain défi pour permettre la modélisation et l'enseignement des stratégies de lecture.

Suggestions de livres

Voici quelques suggestions de livres que nous avons achetés et que nous utilisons en classe en format géant pour la lecture partagée :

■ *Aboie, Georges !* de Jules Feiffer, collection « Pastel », Éditions l'école des loisirs.

Au grand dam de sa mère, le chien Georges n'aboie pas. Il fait : « miaou », « coin coin », « oink » et « meuh », jusqu'au jour où sa maman l'emmène chez le vétérinaire... Hilarant ! Un bel exemple d'album de qualité pouvant servir à la lecture partagée.

■ *Le sanglier qui mettait le doigt dans son nez ; L'oie qui jouait de la trompette ; Le mouton qui faisait des câlins ; La marmotte qui ne voulait pas dormir* de Benoît Charlat, collection « Les Zigotos », Éditions Les 400 coups.

Les enfants adorent ces petits livres de Benoît Charlat ! Nous nous amusons beaucoup pendant leur lecture.

■ *Plaisirs d'aimer ; Plaisirs d'hiver* et tous les autres *Plaisirs* de Roger Paré, Éditions de la courte échelle.

Les textes de ces jolis livres aux illustrations soignées sont particulièrement prévisibles à cause des rimes.

■ *Simon et les flocons de neige* de Gilles Tibo, Éditions Toundra.

Tous les *Simon* de Tibo sont d'une grande sensibilité et font de la lecture partagée un moment très tendre.

■ *Quand je suis dans la lune* de Joanne Labelle, collection « Raton Laveur », Éditions Banjo.

Un petit garçon nous transporte dans sa rêverie. Une lecture très amusante qui suscite beaucoup de réactions et de discussions de la part des enfants.

■ *Le gros traîneau* de Jane E. Gerver et Priscilla Burris, collection « Je peux lire », Éditions Scholastic.

Ce n'est pas un « grand cru », mais une lecture d'hiver très simple, dédiée aux lecteurs débutants. Mes élèves aiment bien.

■ *Petite bête, grosse bêtise* de Danielle Simard, collection « Rat de bibliothèque », ERPI.

Un garçon apporte une petite souris à l'école et la cache dans son pupitre. Gros problèmes en perspective ! Lecture très facile. Les enfants adorent !

■ *Dépêche-toi Alexandra !* de Carole Muloin, collection « Souriceau », Éditions du Trécarré.

Une petite fille que l'on presse chaque matin oublie d'enlever son pyjama pour aller à l'école. Les enfants se reconnaissent à travers l'histoire d'Alexandra à qui l'on répète sans cesse de se dépêcher.

■ *Mon grand frère l'a dit* de Danielle Simard, collection « Rat de bibliothèque », ERPI.

Un grand frère « achalant » fait croire n'importe quoi à sa petite sœur qui se demande bien pourquoi tout le monde rit... Amusant !

■ *Le rouge c'est bien mieux* de Lewis Stinson, Éditions Annick Press.

Au grand désespoir de sa mère, une enfant ne veut porter que du rouge... parce que le rouge, c'est bien mieux ! Joli et prévisible.

■ *Tu pars, Petit Loup ?* de Jean Maubille, collection « Pastel », Éditions l'école des loisirs.

Petit Loup part avec son baluchon. Sur son chemin, il rencontre des amis qui aimeraient bien savoir où il s'en va. Mais Petit Loup ne répond pas. Un livre magnifique ! Tout simple, tout beau, tout répétitif... Formidable trouvaille pour la lecture partagée !

J'achète également des livres dans les ventes de débarras de mon quartier. J'y découvre parfois de petits bijoux, tels que *Mon papa et moi* de Mercer Mayer, qui est malheureusement épuisé en magasin.

Pour le lancement de notre recherche documentaire annuelle (habituellement une par année), j'essaie de trouver un livre qui convient à notre thème. À l'aide de ce grand livre, je peux facilement présenter aux élèves la structure et les différentes caractéristiques d'un livre documentaire.

Par exemple, comme notre thème scientifique de cette année était la pomme, ma collègue Kristine et moi avons fabriqué un grand livre à partir du livre *Moi, la pomme*, publié chez Scholastic. La très belle collection « Zap sciences » de Beauchemin (Chenelière Éducation) propose également plusieurs titres qui peuvent être utilisés en lecture partagée. Pour une recherche sur la Lune, le livre *La Lune*, de cette même collection, peut être un excellent point de départ.

Note

Lorsque les semaines de travail sont raccourcies à cause de jours fériés ou de journées pédagogiques, nous recourons parfois à des textes plus courts pour la période de lecture partagée. Nous choisissons alors des poèmes ou des chansons que nous reproduisons sur transparents ou sur affiches. Dans le contexte de nos classes multiâges, tous les élèves (des lecteurs apprentis aux lecteurs compétents) sont dès lors invités à participer à la lecture du texte à l'unisson.

Tranche de vie

Lorsque nous avons entrepris le projet, ma collègue Georgie et moi utilisions un manuel scolaire accompagné d'affiches pour nos élèves de première année. Nous avons tout doucement délaissé ce manuel et remplacé graduellement les affiches par de grands livres. Depuis, nous en utilisons un par semaine.

Le partage des grands livres

Nous sommes maintenant quatre classes de premier cycle à nous partager tous les grands livres. Pendant une semaine, les quatre classes utilisent le même grand livre. En début d'année scolaire, nous avons établi un horaire de rotation du grand livre de classe en classe. Nous avons fixé quatre blocs horaires : de 8 h 45 à 9 h 30, de 9 h 35 à 10 h 20, de 10 h 50 à 11 h 35 et de 13 h 20 à 14 h 05. Chaque enseignante a désigné un élève responsable de transporter le grand livre d'une classe à l'autre à la fin de la période de lecture. Notre système de rotation fonctionne très bien. Cette organisation nous permet de planifier en équipe les différentes activités de lecture qui sont au programme chaque semaine.

La planification

Chaque semaine, lors de notre planification, mes collègues et moi choisissons les stratégies ainsi que les sons et les lettres correspondantes que nous voulons enseigner aux enfants. Pour faciliter le choix d'un grand livre dans lequel se trouvent les lettres que nous souhaitons enseigner, j'ai créé une grille qui regroupe les graphèmes et les mots à reconnaître globalement par les élèves dans chaque grand livre. Nous remplissons une nouvelle grille pour chaque grand livre. Je joins en annexe un modèle vierge de cette grille ainsi que quelques exemples de grilles remplies (voir les annexes B-1 et B-2).

La lecture du grand livre

Les enfants sont rassemblés en un sous-groupe devant le grand livre que je dépose sur un chevalet. (Idéalement, le livre est accessible aux élèves dès leur arrivée le matin.) Je leur demande de s'asseoir par terre sur des coussins ou des petits tapis. Je rappelle que, dans ma classe, les élèves qui participent à cette activité sont les lecteurs apprentis et les lecteurs débutants (1re et 2e années confondues). Les lecteurs en transition et les lecteurs compétents s'occupent à une autre tâche.

Les enfants et moi trouvons très plaisant de nous retrouver tous ensemble « collés serrés » pour lire le grand livre. La proximité physique des individus crée une atmosphère de lecture chaleureuse. Il m'importe de tenir compte de l'affect de l'élève et de sortir du cadre traditionnel de l'apprentissage de la lecture, où chacun est assis à sa place.

La démarche

Mon rôle est de modéliser la lecture du texte en pointant chaque mot (à l'aide d'un bâton, de façon à ne pas cacher le texte avec la main) et d'inviter graduellement mes élèves à lire avec moi. Le livre est lu quatre fois au cours de la semaine. Quand il n'y a pas de journée de congé, nous le lisons du lundi au jeudi.

La première lecture : le lundi

Lors de la première lecture du grand livre, je m'attarde particulièrement à la compréhension du texte. À cette étape, je me concentre surtout sur le sens des mots et des idées. Les enfants doivent faire des liens avec leurs expériences, discuter et comprendre l'histoire. J'attire leur attention sur les mots difficiles, je leur fais faire des prédictions et des liens et j'encourage les échanges. Voici en détail le déroulement de la première lecture :

1. La préparation à la lecture (la mise en situation) :

   a) La présentation de la page couverture

   Je présente d'abord le livre : je lis le titre, le nom de l'auteur et celui de l'illustrateur.

b) L'activation des connaissances antérieures

Pour favoriser une connexion personnelle au livre, je pose ensuite des questions qui amènent les enfants à faire des liens avec leurs propres expériences. Voici des exemples de questions posées à partir du livre *Quand je suis dans la lune*:

- Qu'est-ce que veut dire «être dans la lune»?
- Est-ce qu'il t'arrive d'être dans la lune?
- À quoi penses-tu quand tu es dans la lune?

À partir des réponses à ces questions, j'anime la discussion entre les enfants. Je les encourage à parler, à écouter et à échanger clairement leurs idées.

c) Les prédictions

Lorsque le titre et l'illustration de la page couverture le permettent, je peux inviter mes élèves à faire des prédictions sur l'histoire du livre. Nous dressons donc toute une liste de prédictions que j'inscris sur un tableau en guise de référence.

d) L'intention de lecture

Après la discussion, je communique l'intention de lecture aux élèves. En d'autres mots, j'explique pourquoi nous allons lire le livre:

«Dans le livre *Quand je suis dans la lune*, il y a un petit garçon de votre âge qui nous dit à quoi il rêve quand il est dans la lune. Nous allons voir s'il rêvasse aux mêmes choses que vous.»

e) La promenade visuelle

Nous regardons ensuite chacune des images du livre. C'est la promenade visuelle (ou le survol), ce que l'on appelle en anglais *picture walk*. Pour nous préparer aux mots, aux idées et aux concepts que nous allons retrouver dans le texte, nous discutons de chaque illustration et je reformule parfois les commentaires des élèves avec les mots du texte.

Exemple:

LOUIS-PHILIPPE: Il pense à un gros camion.

MOI: Oui, avez-vous vu comme il est gros? C'est certainement le plus gros camion du monde, vous ne pensez pas?

Dans le livre, les mots utilisés par l'auteur sont *le plus gros camion du monde*. J'essaie donc de trouver une façon de les introduire dans ma conversation avec les enfants afin qu'ils soient enregistrés et prêts à resurgir lors de la lecture de l'histoire.

Autre exemple:

RACHEL: Il rêve qu'il est une grande vedette.

MOI: C'est vrai. Une grande vedette, on appelle ça aussi une superstar. Est-ce que vous connaissiez ce mot? Qui peut me nommer une superstar?

Ici encore, l'auteur a choisi le mot *superstar*. J'y fais donc référence au cours de notre balade à travers les illustrations du livre.

En résumé, voici les étapes à suivre lors de la préparation à la lecture du grand livre :

a) La présentation de la page couverture

- Lecture du titre, du nom de l'auteur et de celui de l'illustrateur.

b) L'activation des connaissances antérieures ou les prédictions

- Animation d'une discussion sur les expériences des élèves (connaissances antérieures) liées au sujet du livre ou prédictions sur le déroulement de l'histoire lorsque le titre et l'illustration sur la page couverture le permettent.

c) L'intention de lecture

- Communication de l'intention de lecture (dire pourquoi on va lire le livre).

d) La promenade visuelle

- Observation de chaque illustration du livre, discussion et prédiction au fur et à mesure sur le contenu du texte.

Cette préparation devrait durer une dizaine de minutes. Une préparation adéquate facilite la lecture du grand livre. Lorsqu'elle est terminée, les élèves sont prêts à lire l'histoire.

2. La lecture du grand livre

Je pointe chacun des mots (à l'aide de mon bâton) et je lis à voix haute. Je m'arrête à l'occasion soit pour discuter d'un mot, soit pour laisser les enfants faire des prédictions ou s'exprimer librement sur le texte et les illustrations. À cette étape, je n'exige pas que les élèves lisent avec moi ; je sers de modèle.

Note

Je préconise la lecture du grand livre à l'unisson (tout le monde ensemble). À la première lecture, il est possible que quelques élèves se joignent à moi pour lire le texte. Peut-être qu'aucun ne se sentira prêt. Je ne force rien. Je respecte le rythme de chacun. Au fil des relectures des prochains jours, de plus en plus d'enfants développeront une confiance assez grande pour lire. Au début, les plus expérimentés prendront toute la place. Puis, les autres ajouteront tout doucement leurs voix à celles de leurs camarades. C'est là un des grands bonheurs de cette activité. En effet, la lecture partagée permet aux lecteurs débutants de se fondre dans la masse. Elle leur accorde le temps dont ils ont besoin pour se joindre à la lecture à l'unisson. C'est beaucoup moins intimidant pour eux que d'être forcés de lire seuls devant tout un groupe et d'exposer ainsi leurs difficultés au grand jour.

3. Les réactions au texte :

Après la première lecture, j'encourage les élèves à réagir au texte :

- Est-ce que le petit garçon rêve aux mêmes choses que vous quand il est dans la lune ?

  (Je fais un retour sur les réponses initiales des élèves.)

Voici d'autres exemples de questions que je pourrais poser à la suite de la lecture d'un grand livre :

- Avez-vous aimé cette histoire ?
- Êtes-vous surpris de la tournure des événements ?
- Comment auriez-vous réagi à la place du personnage principal ?
- Avez-vous été touchés par l'histoire ?
- Qu'est-ce qui vous a fait rire ?

Les relectures : les mardi, mercredi et jeudi

La préparation à la relecture

Je lis le titre et le nom de l'auteur. Je demande ensuite un rappel de l'histoire aux enfants. Ils doivent raconter dans leurs mots ce dont ils se souviennent de cette lecture. Parfois, lorsque les enfants ont un peu de difficulté à se remémorer l'histoire lue la veille, je leur montre à nouveau les illustrations du livre pour rafraîchir leur mémoire.

La relecture du grand livre

Lors de la relecture du grand livre, j'invite les enfants à lire avec moi. Je continue la modélisation. Je démontre l'utilisation d'une stratégie de lecture. Je fais des pauses un peu plus longues sur les mots pour que les élèves lisent avec moi. Je les invite à participer, mais je ne les force jamais. Certains enfants auront besoin de plus de temps que d'autres pour se joindre à la lecture. Je demande seulement que tous soient attentifs au texte.

Après la relecture

La relecture du grand livre est suivie d'une leçon sur la stratégie graphophonétique (la correspondance entre les sons et les lettres) ou sur une stratégie de compréhension.

Note

Tel qu'il est spécifié dans ce chapitre, mes collègues et moi axons la première lecture du grand livre sur la compréhension du texte. Toutefois, à cause de contraintes organisationnelles, nous faisons souvent suivre la première lecture (le lundi) d'une leçon sur la correspondance entre un son et une lettre. Dans un contexte idéal (ce que nos classes et nos écoles ne fournissent jamais...), il serait préférable d'attendre la relecture du grand livre pour enseigner une telle stratégie. La priorité lors de la première lecture doit absolument être le développement d'une excellente compréhension du texte de façon que les enfants établissent des connexions personnelles avec celui-ci. Le mardi, après la relecture du grand livre, nous enseignons une stratégie de compréhension.

Tableau 2.1 | La lecture du grand livre

La première lecture		
Pour la préparation à la lecture	**Pendant la lecture**	**Après la lecture**
• je lis le titre et les noms de l'auteur et de l'illustrateur • j'encourage les enfants à faire des liens avec leurs expériences ou à faire des prédictions sur l'histoire • je communique l'intention de lecture • je fais une promenade visuelle	• je lis en pointant chaque mot • je m'attarde sur certains mots • je fais faire des prédictions • je m'arrête pour discuter des illustrations et du vocabulaire • j'encourage les commentaires sur l'histoire	• j'encourage les réactions verbales au texte • je fais un retour sur les prédictions (s'il y a lieu)
La première relecture		
Pour la préparation à la lecture	**Pendant la lecture**	**Après la lecture**
• je lis le titre et les noms de l'auteur et de l'illustrateur • je demande un rappel de l'histoire	• je modélise l'utilisation d'une stratégie de lecture • je prévois des pauses • j'invite les enfants à lire avec moi	• j'anime une leçon sur les lettres et les mots (stratégie graphophonétique)
La deuxième relecture		
Pour la préparation à la lecture	**Pendant la lecture**	**Après la lecture**
• je lis le titre et les noms de l'auteur et de l'illustrateur	• je laisse de plus en plus de place aux enfants (pauses plus longues)	• j'anime une activité pour acquérir une stratégie de compréhension
La troisième relecture		
Pour la préparation à la lecture	**Pendant la lecture**	**Après la lecture**
• je lis le titre et les noms de l'auteur et de l'illustrateur	• je laisse encore plus de place aux enfants	• j'anime une leçon sur les lettres et les mots (stratégie graphophonétique)

L'enseignement des stratégies de lecture

Les stratégies de lecture font partie de trois systèmes d'indices : les indices sémantiques (compréhension), les indices syntaxiques (ordre et fonction des mots) et les indices visuels (dont fait partie la stratégie graphophonétique). Je modélise et j'enseigne ces stratégies pendant et après la lecture du grand livre. Je démontre l'utilisation d'une stratégie ou d'une autre en fonction des besoins de mes jeunes lecteurs. Au fur et à mesure de la lecture, lorsque nous sommes confrontés à une difficulté, je questionne mes élèves sur la ou les stratégies qui seraient potentiellement utiles dans la situation qui nous préoccupe. Je modélise et j'exprime ce qu'un lecteur expert fait. J'explique qu'il est important d'utiliser simultanément plusieurs stratégies pour contrôler sa lecture, la vérifier et, le cas échéant, la corriger. Il est important que les jeunes lecteurs ne se confinent pas à l'utilisation d'une seule stratégie, mais qu'ils apprennent plutôt à passer de l'une à l'autre efficacement.

Les concepts reliés à l'écrit

Au début de l'année scolaire, je dois m'assurer que tous mes jeunes lecteurs sont familiarisés avec l'orientation de la lecture et d'autres concepts reliés à l'écrit. Pendant la lecture partagée, je démontre et j'enseigne donc les notions suivantes :

■ Je commence à lire en haut, à gauche.

■ Je lis de gauche à droite.

■ Lorsque j'arrive à la fin de la ligne, je descends au début de la ligne du dessous.

■ Les mots sont composés de lettres.

■ Les phrases sont formées de mots.

■ Lorsque je lis, je pointe chaque mot.

Les stratégies d'identification des mots

Pendant la lecture partagée, mes élèves et moi utilisons progressivement les stratégies d'identification des mots. Ces stratégies font partie des trois systèmes d'indices. Nous en dressons la liste avec des mots simples, sur une affiche accessible en tout temps.

Les indices sémantiques :

■ J'essaie de prévoir le mot.

■ Je me demande si ce mot a du sens dans la phrase.

■ Je relis la phrase du début.

■ Je lis après le mot et je relis la phrase du début.

Les indices syntaxiques :

■ Je me demande si on parle comme ça en français (ordre et fonction des mots).

Les indices visuels :

■ Je regarde les images.

■ Je trouve les petits mots dans les grands mots.

■ Je fais le son de la première lettre du mot.

■ Je lis le mot jusqu'au bout.

Ces trois systèmes d'indices se chevauchent parfois. Un bon lecteur utilisera plusieurs stratégies simultanément pour se vérifier et se corriger. Il croisera les différentes informations (indices) relevées dans le texte. À cet égard, je questionne beaucoup les élèves pour les diriger vers les stratégies qui leur permettront de se vérifier et de se corriger. Voici l'exemple d'une intervention pendant la lecture d'un grand livre :

MOI : Comment as-tu fait pour lire ce mot ?

SYMPHORIEN : J'ai regardé l'image (indice visuel) et j'ai deviné (indice sémantique).

Moi: Ce sont de bonnes stratégies! Je regarde les images. J'essaie de prévoir le mot. Je trouve un mot qui a du sens dans la phrase. Il faut aussi faire le son des lettres pour vérifier ta prédiction. Est-ce bien le mot qui est écrit? (indice visuel: stratégie graphophonétique)

Symphorien: Oui.

Moi: Bien. Nous venons de voir plusieurs stratégies qu'un lecteur expert utilise:

- Je regarde les images.
- J'essaie d'anticiper le mot.
- Je cherche un mot qui a du sens dans la phrase.
- Je vérifie en faisant le son des lettres.

Au fur et à mesure de l'utilisation collective des stratégies de lecture, je les écris sur une affiche. Je me réfère régulièrement à cette liste.

La stratégie graphophonétique

La stratégie graphophonétique (la correspondance entre les sons et les lettres) mérite un enseignement spécifique après la lecture du grand livre. Mes collègues et moi avons choisi d'enseigner deux sons par semaine à nos lecteurs apprentis et à nos lecteurs débutants. Nous présentons d'abord les voyelles, les consonnes à phonèmes longs dont les sons sont plus faciles à percevoir, puis les consonnes à phonèmes courts. Il est à noter que nous enseignons les graphèmes d'un même son l'un à la suite de l'autre (exemples: *i* et *y*; *c*, *q* et *k*). Les graphèmes de plus d'une lettre (les graphèmes complexes) sont intégrés à notre enseignement après l'apprentissage de quelques consonnes. Nous présentons les sons les plus simples et les plus courants en premier.

Tableau 2.2 | L'ordre d'enseignement des lettres

Les voyelles →	a e i y o u					
Les voyelles avec accent →	é è ê					
Les consonnes à phonèmes longs →	l m	r n	s z	c (s) s (z)	ç	v	f	j	g (j)
Les consonnes à phonèmes courts →	t x	b w	d	p	c (k)	q	k	h	g (gu)
Les graphèmes complexes ↓	ch on, om ou au, eau oi	an, am en, em eu ei, ai in, im, ain, ein	un er, ez gn eur ien	ui er (ère) ell ill ail, aill	eil, eill euil, euill œu oin et (è)	ett ess ph tion ouill

Source: adapté de Ministère de l'Éducation de l'Ontario (2003), *Guide d'enseignement efficace de la lecture, de la maternelle à la 3e année.*

Deux fois par semaine, tout de suite après la lecture du grand livre, nous nous attardons à un son particulier qui se trouve dans le texte que nous venons de lire. Par exemple, à partir du livre *Quand je suis dans la lune*, je peux travailler les lettres *q, j, d, l, r* ou le son «an». Évidemment, je ne travaillerai pas tous les sons qui se trouvent dans ce livre. J'en choisirai seulement deux que je présenterai en alternance. Je peux décider de travailler la lettre *l* le mardi, puis la lettre *r* le jeudi. Voici un exemple de leçon sur la lettre *l*:

MOI : Relisons le titre ensemble.

TOUS : Quand je suis dans la lune.

MOI : Entendez-vous le son qui est au début du mot *lune*? C'est le son «lll». Faites ce son avec moi.

TOUS : «lll».

MOI : Le son «lll» s'écrit avec la lettre *l*.

À ce moment, je raconte l'histoire du *l* qui se trouve dans le livre *Raconte-moi les sons*. Dans ce livre, les lettres et les sons sont racontés dans de courtes histoires agrémentées de dessins explicites que les enfants aiment bien. À mon avis, les histoires et les dessins de ce livre facilitent l'apprentissage de la correspondance entre les sons et les lettres. Certains enfants se rappellent facilement les histoires, alors que d'autres accordent plus d'attention aux images dont je colle les reproductions aux murs de ma classe en guise de référence.

De plus, j'associe un geste à chacun des sons. Je me sers des histoires pour déterminer chaque geste. J'invite alors les élèves à nommer la lettre enseignée et à faire ensuite le geste en simultané avec le son. Par exemple, pour la lettre *m*, l'histoire montre un enfant qui se régale en mettant la main sur son ventre et en faisant «hummmm...». Je demande donc aux enfants de faire la même chose (frotter leur ventre en faisant «hummmm»). Je me réfère régulièrement aux gestes enseignés lorsqu'un enfant éprouve de la difficulté à se rappeler le son d'une lettre. J'ai remarqué que cette activité kinesthésique, où le mouvement est associé à un son et à une lettre, aide particulièrement les élèves qui sont plus actifs, plus physiques.

Tranche de vie

Tarek est un petit garçon très actif. Il éprouve un peu de difficulté à associer certains sons à leurs lettres. J'ai la conviction que les activités kinesthésiques l'aideront à apprendre à lire. Un jour, il hésite devant la lettre *s*...

MOI : Tu te rappelles de l'histoire du serpent dans la forêt? Quel son le serpent faisait-il? Fais le geste en forme de serpent.

Je trace un serpent imaginaire dans les airs et je fais le son en même temps: «sssssss». L'enfant est gêné de faire le geste devant ses camarades. Je lui explique:

MOI : Quand tu es devant une lettre dont tu ne te rappelles plus le son, si tu fais le geste de la lettre, le son va venir tout seul. Tu peux le faire très discrètement sans que personne ne te remarque. Essaie et tu verras, ça t'aidera.

Il fait le geste discrètement en même temps qu'il fait le son. Il sourit. Il est content.

Les éducatrices de la maternelle de mon école utilisent le livre *Raconte-moi l'alphabet* pour enseigner les lettres aux petits. Lorsque ces derniers arrivent en première année, ils se rappellent les histoires racontées l'année précédente, ce qui facilite l'apprentissage de l'alphabet et de la stratégie graphophonétique.

À la suite de l'enseignement formel de la lettre, je reviens au grand livre :

MOI : Y a-t-il d'autres mots dans notre grand livre qui commencent par la lettre *l* ?

Les enfants cherchent des mots dans le livre. Au tableau, je dresse la liste des mots trouvés.

MOI : Connaissez-vous d'autres mots qui commencent par le son « lll » ?

Je complète la liste de mots au tableau.

La démarche d'enseignement d'un son ou d'une lettre reste toujours la même :

- Je pars d'un mot du grand livre.
- Je montre la correspondance entre le son et la lettre (ou les lettres).
- Avec l'aide des enfants, je dresse au tableau une liste de mots contenant ce son.

De plus, pour consolider ces apprentissages, je propose des ateliers kinesthésiques où les élèves reproduisent les lettres étudiées à l'aide de matériaux divers. Il s'agit d'activités autonomes qui ont lieu pendant la période de lecture guidée des lecteurs plus expérimentés (voir le chapitre 3).

La calligraphie

Le cas échéant, après la leçon, je mime le tracé de la lettre dans les airs avec mon crayon magique (mon index). Les enfants imitent ce tracé avec leur crayon magique (leur index). Je complète ma démonstration sur un transparent à l'aide du rétroprojecteur. Finalement, les élèves s'exercent à tracer la lettre dans un cahier.

Important

J'enseigne presque toujours les sons, les lettres et les mots que les élèves doivent reconnaître à l'aide du grand livre. Je n'enseigne pas une lettre hors contexte, mais à partir d'un mot qui se trouve dans un texte que les enfants ont lu avec moi en lecture partagée.

Les variations par le jeu

Le jeu de l'anticipation

Pour enseigner les stratégies de lecture, je trouve intéressant de varier la première ou la deuxième lecture du grand livre en invitant les enfants à participer au jeu de l'anticipation. Il s'agit ici de cacher le dernier mot d'une phrase (j'utilise un papier Post-it replié) et d'inviter les élèves à tenter de trouver le mot caché. Pour ce faire, les enfants doivent se servir des stratégies qu'ils connaissent. Mon rôle est de les amener à bien utiliser ces stratégies :

MOI :	Quelle stratégie as-tu utilisée pour trouver ce mot ?
MOHAMMAD :	J'ai regardé l'image. (indice visuel)
MOI :	C'est une bonne stratégie. Est-ce que le mot que tu as trouvé se dit bien dans la phrase ? (indice syntaxique)
MOHAMMAD :	Oui.
MOI :	Est-ce que le mot a du sens dans la phrase ? (indice sémantique)
MOHAMMAD :	Oui.
MOI :	D'accord. Maintenant, nous allons vérifier ton mot avec les lettres. Par quelle lettre commence-t-il ? (indice visuel : stratégie grapho-phonétique)

Je découvre alors la première lettre du mot (et garde les autres cachées).

MOI :	Est-ce qu'il est possible que tu aies bien anticipé le mot ?

Si la première lettre du mot ne correspond pas à celle du mot anticipé, nous continuons à chercher de quel mot il pourrait bien s'agir. Et je découvre ainsi lentement les lettres du mot tout en discutant stratégies avec les enfants. Je leur explique l'importance de se vérifier et de se corriger à l'aide de plusieurs stratégies par l'utilisation des différents systèmes d'indices.

Cette activité est très appréciée par mes élèves. Je ne la propose pas dès le début de l'année. J'attends que les enfants aient acquis quelques notions pour qu'ils soient capables de participer activement à ce jeu.

Jouer avec les mots

Voici une activité ludique qui permet de travailler la stratégie graphophonétique avec l'ensemble des élèves de ma classe, tous niveaux d'habileté confondus. Le but de l'activité est de former et de déformer des mots à l'aide de lettres découpées jusqu'à ce que le mot mystère, composé de l'ensemble des lettres, soit dévoilé.

La préparation. Je choisis d'abord un mot qui, idéalement, aura été vu par mes lecteurs débutants au cours de la lecture partagée de la semaine. J'écris les lettres du mot sur des petits cartons. Je prépare un paquet des lettres du mot, pour chaque groupe de deux élèves, plus un paquet qui servira à l'ensemble de la classe. Je désigne ensuite un élève qui écrira au tableau tous les mots trouvés pendant le déroulement du jeu.

Le déroulement. Dans des pochettes murales, je place dans le désordre les lettres qui serviront à l'ensemble de la classe. Je peux également utiliser des lettres aimantées et les étaler sur un tableau magnétique. Je demande aux élèves de placer leurs lettres de la même manière devant eux sur la table. Nous lisons chacune des lettres à l'unisson, puis le jeu commence.

Je donne certaines consignes que les enfants doivent exécuter en équipe de façon qu'ils forment et déforment des mots en en changeant certaines lettres. À chaque étape, je demande à un élève de recomposer le mot qu'il a trouvé à l'aide des lettres qui sont dans les pochettes murales, pour que tous les élèves puissent bien voir. Voici un exemple des consignes que je peux donner à partir des lettres du mot *beaucoup*:

- Avec deux lettres, formez le mot *au*, comme dans « Je vais au magasin ».
- Ajoutez une lettre et formez le mot *eau*, comme dans « Je bois de l'eau ».
- Ajoutez une lettre et formez le mot *beau*.
- Changez la première lettre et formez le mot *peau*.
- Enlevez le son « eau » et formez le mot *pou*.
- Changez la première lettre et formez le mot *cou*. (Je montre mon cou.)
- Ajoutez une consonne et formez le mot *coup*, comme dans « donner un coup ».
- Ajoutez une voyelle et formez le mot *coupe*.
- Gardez toutes ces lettres. Changez-les de place pour formez le mot *pouce*.
- À l'aide de deux mots que vous avez créés au cours de ce jeu, formez le mot mystère qui contient toutes les lettres.

Tout au long du jeu, les enfants et moi discutons des sons, des lettres et des mots. À la fin du jeu, après que le mot mystère a été dévoilé, nous pouvons classer tous les mots qui ont été écrits au tableau. Je demande alors aux enfants de trouver une façon de classer ces mots : « Lesquels pourrions-nous mettre ensemble ? Pourquoi ? » Dans l'exemple ci-dessus, les enfants pourraient décider de mettre ensemble les mots qui contiennent le son « eau », et ensemble ceux qui contiennent le son « ou ».

Ce jeu nous permet d'approfondir la discussion sur l'écriture des mots et de développer la stratégie graphophonétique. Très chouette !

Voici une variante du jeu : je demande aux élèves de constituer une liste de tous les mots possibles à l'aide des lettres présentées et de trouver le mot mystère formé de toutes les lettres. Dans ce contexte, la discussion aura lieu après que chaque équipe a terminé sa liste. Avant d'engager les élèves dans cette version modifiée du jeu, il est préférable d'avoir joué à quelques reprises à la première version pour que les joueurs comprennent bien ce que l'on attend d'eux.

Les mots courants

Je tire les mots courants, que les enfants doivent apprendre à reconnaître instantanément (et à écrire), à même le grand livre de la semaine. Je les choisis en fonction des mots utilisés le plus fréquemment dans la langue française et aussi en fonction des thèmes que nous travaillons en classe.

Tableau 2.3 | Les mots courants pour le « mur de mots »

à	dix	long	quand
aime	donne	longue	quatre
aller	du	lui	que
ami	école	lune	qui
amie	elle, elles	ma	quoi
après	en	mais	regarde
au	est	maison	rêve
aujourd'hui	et	maman	rouge
aussi	était	mère	sa
autre	être	mes	sans
avec	faire	moi	savoir
avoir	fait	mon	se
ballon	fête	ne	sept
beau	fleur	neige	ses
beaucoup	grand	neuf	si
belle	grande	nez	six
bien	gris	noir	soleil
blanc	gros	non	son
blanche	grosse	nous	souris
bleu	hier	oiseau	sous
bon	huit	orange	sur
bonne	il, ils	ou	ta
bras	il y a	ours	te
brun	j'ai	papa	tes
c'est	j'aime	par	toi
chante	jaune	parce que	ton
chat	je	pas	tout
chez	je fais	père	toute
chien	je peux	petit	tous
chose	je vais	petite	très
ciel	je veux	peu	trois
cinq	je suis	peur	trop
comme	jouer	peut-être	tu
content	jour	plus	un
contente	la	pomme	une
dans	le	poule	venir
de	lapin	pour	vert
dehors	les	premier	verte
des	leur	première	voir
deux	lire	prendre	vous
dit	livre	puis	yeux

Note : Cette liste peut être complétée (ou modifiée) à l'aide d'autres mots tirés des lectures de vos élèves.

Chaque année, nous choisissons un sujet scientifique que nous voulons explorer avec nos élèves. Certains mots relatifs à ce thème feront donc partie de notre banque de « mots-étiquettes ». Par exemple, lorsque nous avons abordé le thème de la Lune, plusieurs mots liés à ce sujet ont été ajoutés à notre banque de mots. En effet, nous savions que nous les retrouverions fréquemment dans nos lectures et, de surcroît, que nous aurions à les utiliser dans l'écriture de notre rapport scientifique.

Pour fabriquer les mots-étiquettes, certains enseignants écrivent les mots avec les élèves sur des petits cartons préalablement découpés, et ce, au fur et à mesure des lectures. Quant à nous, puisque nous sommes à l'ère du recyclage (et que notre temps est précieux), nous avons décidé de réutiliser les mots-étiquettes commerciaux que l'école avait achetés il y a quelques années pour accompagner les manuels scolaires que nous utilisions à l'époque. Nous ne fabriquons que ceux qui manquent à notre collection. Il est très important que le mot soit écrit assez gros pour qu'on puisse le lire de n'importe où dans la classe.

Mes élèves observent et apprennent donc à reconnaître rapidement les mots courants dès la première lecture du grand livre. Les mots-étiquettes que nous utilisons ne sont pas illustrés. L'enfant doit apprendre à reconnaître chaque mot dans sa globalité, comme il le fait pour une image. Il y a quelques années, j'utilisais des étiquettes imagées, mais je me suis rendu compte que certains enfants se fiaient un peu trop à l'image sans tenter véritablement de lire le mot. J'ai donc aboli les images.

Pour consolider la reconnaissance spontanée et l'écriture des mots courants, les enfants participent régulièrement à des ateliers de reproduction de mots. Lors de ces ateliers, qui ont lieu pendant la période de lecture guidée d'autres lecteurs, ils se servent de lettres découpées et de pâte à modeler, ou encore ils colorient les lettres par frottis[5] (voir le chapitre 3).

À la fin de la semaine, lorsque les relectures du grand livre sont terminées, les enfants sont invités à classer les mots-étiquettes en ordre alphabétique sur notre mur de mots. Il s'agit d'un grand tableau vert magnétique sur lequel j'ai collé les lettres de *A* à *Z*. Nous n'avons qu'à apposer chaque mot sur le tableau sous la lettre correspondant à la première lettre du mot. Derrière chacun des mots-étiquettes, j'ai collé un aimant, ce qui rend la tâche du classement très facile.

Au début de l'année scolaire, le mur de mots est vide. J'y laisse seulement les lettres de *A* à *Z*, qui serviront au classement. Toutefois, dans le contexte de ma classe multiâge, je dois rendre tous les mots accessibles à mes lecteurs et à mes scripteurs plus expérimentés. J'ai donc préparé 26 pochettes (du type de celles que l'on trouve parfois à la dernière page des livres de bibliothèque), chacune identifiée par une lettre de l'alphabet. À l'intérieur de celles-ci, j'ai inséré tous les mots-étiquettes vus au cours de l'année précédente. J'ai déposé les pochettes sur le rebord du tableau qui me sert de mur de mots. Ainsi, chaque fois qu'un

---

5. Tracer toutes les lettres de l'alphabet sur des petits cartons découpés. Repasser sur les lettres avec de la colle blanche et laisser sécher. Les lettres seront alors en relief. Pour faire des frottis, l'élève placera les lettres choisies sous une feuille et passera un crayon de couleur sur chacune d'elles pour en faire ressortir le tracé. Les enfants adorent !

enfant désire apporter un mot à sa place pour l'écrire, il le tire de l'une des pochettes et le remet dans celle-ci lorsqu'il en a terminé. Cette organisation permet une bonne accessibilité aux mots-étiquettes et préserve le mur de mots, qui demeure une source d'information importante pour ceux qui préfèrent s'y référer de leur place.

Les stratégies de compréhension

Certaines stratégies sont particulièrement utiles à la compréhension d'un texte. Je présente ces stratégies à la suite de la lecture partagée (une fois par semaine, dans notre cas) et je les revois également pendant la lecture guidée (voir le chapitre 3). Voici quelques exemples de stratégies de compréhension :

■ réaction écrite à la suite de la lecture d'un texte (voir l'annexe C-3) ;

■ arrêt et discussion en groupe sur les points forts d'un texte ;

■ utilisation du schéma du récit :

　• trouver le début, le problème, la solution et la fin d'une histoire (voir l'annexe C-1) ;

■ utilisation des cartes sémantiques :

　• remplir la carte sémantique d'un personnage (voir l'annexe B-3),

　• remplir la carte sémantique des relations entre les personnages (voir l'annexe B-4). Exemple d'une carte sémantique remplie :

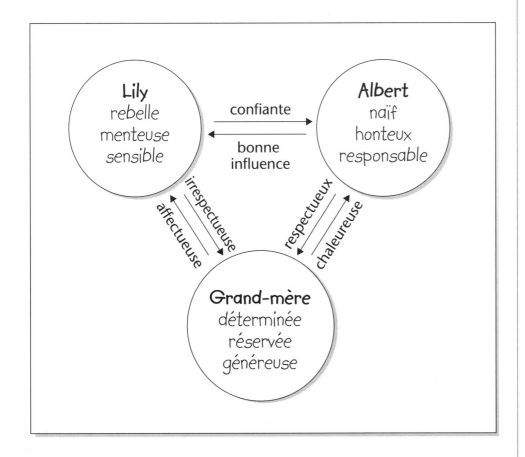

- remplir la carte sémantique d'un texte documentaire (voir l'annexe B-5) ;
▪ organisation de l'information sous forme de constellation ou de tableau (voir l'annexe B-6) ;

▪ séquence :

- dessiner les événements d'une histoire en ordre.

La fluidité

La fluidité (la vitesse de lecture et la précision) aide à la compréhension d'un texte. La relecture du grand livre et de livrets gradués est excellente pour le développement de la reconnaissance spontanée des mots courants et de la fluidité. Il faut donc encourager les relectures. Il faut également favoriser la lecture de textes faciles pendant la période de lecture autonome.

Le temps alloué à la lecture partagée

Je consacre entre 30 et 40 minutes par jour à la lecture partagée. Ce temps inclut les discussions, la lecture et la leçon subséquente.

À la fin de chaque semaine, je dépose le grand livre au coin lecture. Je le rends ainsi accessible pour la lecture autonome.

Chapitre **3** | La lecture guidée

La lecture guidée est une activité qui permet de revoir les stratégies de lecture (enseignées en lecture partagée) avec les élèves qui ne les maîtrisent pas. Alors que la lecture partagée se fait généralement en grand groupe hétérogène (composé d'élèves de niveaux d'habileté variés), la lecture guidée s'effectue en petits groupes formés d'élèves de compétences à peu près égales et dont les besoins sont les mêmes.

L'organisation

Pour la lecture guidée, je forme donc des sous-groupes d'élèves dont les niveaux d'habileté sont sensiblement les mêmes. Je forme d'abord mes groupes en fonction des stades de développement définis par Fountas et Pinnell (voir le tableau 3.1). Au début de cette année, dans ma classe multiâge de premier cycle, j'ai formé cinq groupes d'élèves. Dans les deux premiers groupes, il y avait des lecteurs apprentis. Mon troisième groupe était formé de lecteurs débutants, plus habiles que les apprentis. Mon quatrième groupe était composé de lecteurs en transition et le cinquième groupe était formé de lecteurs compétents. Le nombre de groupes et le nombre d'élèves dans chacun des groupes peuvent varier (généralement de trois à six élèves par groupe). Ce qui compte, c'est que l'on regroupe les élèves adéquatement selon leurs stades de développement et leurs besoins. En cours d'année, les regroupements se modifient régulièrement puisque les élèves ne progressent pas tous au même rythme et n'ont pas les mêmes besoins au même moment.

Tableau 3.1 | Les stades de développement du jeune lecteur

Le lecteur apprenti	Le lecteur débutant	Le lecteur en transition	Le lecteur compétent
• se sert beaucoup de l'image • porte parfois une certaine attention au code (lettre, mot et phrase) • peut reconnaître certains mots • réagit au texte en fonction de ses propres expériences et de ses connaissances • peut comprendre à quoi sert la lecture • commence à faire des liens entre l'oral et l'écrit	• a moins besoin de l'image et se sert plus de l'imprimé • commence à maîtriser certaines stratégies de lecture • reconnaît plusieurs mots • se réfère à plus d'un système d'indices pour lire (sémantique, syntaxique et visuel) • lit des textes simples de façon fluide • démontre de plus en plus sa capacité à se vérifier et à se corriger	• maîtrise bien les stratégies de lecture • a recours aux trois systèmes d'indices pour lire (sémantique, syntaxique et visuel) • reconnaît la plupart des mots courants • se sert peu des images • lit de façon fluide la plupart du temps • lit des textes plus longs et plus complexes que le lecteur débutant	• a recours efficacement aux trois systèmes d'indices pour lire (sémantique, syntaxique et visuel) • surmonte ses difficultés tout seul • lit de façon fluide et expressive • accroît sa compréhension en lisant des textes variés • recherche du sens dans ce qu'il lit • apprend de ses lectures • lit des textes longs et complexes • lit différents genres de texte

Source : adapté de Fountas et Pinnell (1996).

Il est important de spécifier que, lorsque je forme mes groupes, je ne me préoccupe pas du niveau scolaire de mes élèves. En effet, dans le contexte de ma classe multiâge, certains élèves de 2e année qui n'ont pas encore acquis toutes les habiletés propres aux lecteurs compétents peuvent encore bénéficier du fait d'être groupés avec des lecteurs débutants dans le cadre de certaines activités de lecture telles que la lecture guidée et la lecture partagée. En fait, toutes les classes, même celles d'un niveau scolaire unique, sont constituées d'élèves de forces, d'aptitudes et de besoins divers, qui profiteront d'une approche différenciée qui respectera ces forces et ces aptitudes, et qui répondra adéquatement à ces besoins particuliers.

Le matériel

Pour la lecture guidée, je choisis des livres qui correspondent aux niveaux d'apprentissage des élèves du groupe. C'est un rôle fondamental de l'enseignant : sélectionner des livres ou des livrets qui seront adaptés aux différents niveaux d'habileté des élèves. **Pour qu'un livre soit de niveau approprié, l'enfant doit être capable de lire entre 90 % et 94 % des mots du texte.** Petit truc simple : sur 100 mots, l'élève ne doit pas en rater plus de 10. Il faut toutefois s'assurer que le livre présente une légère difficulté, sinon les interventions de l'enseignant seront inutiles puisque l'enfant sera capable de lire le livre tout seul. Le but de la lecture guidée est d'amener l'enfant à connaître et à utiliser les stratégies qui lui permettront de surmonter ses difficultés. Il faut donc que le texte choisi par l'enseignant lui pose un certain défi.

Chaque fois qu'un enfant n'est pas en mesure de lire 90 % des mots d'un texte, il se trouve en situation de frustration. La tâche est trop difficile pour lui. L'enfant n'est plus en contrôle et il perd le sens du texte. Nous devons éviter ces situations le plus possible. Cela explique en partie pourquoi nous avons mis nos manuels scolaires au rancart: ceux-ci ne tiennent pas compte des différences entre les élèves. Je crois que les enseignants doivent reprendre la responsabilité de choisir le matériel approprié à chaque élève, de façon que l'on respecte le rythme d'apprentissage de chacun. Ainsi, on protège certains enfants d'un sentiment d'échec persistant qui nuirait à leurs apprentissages en lecture.

Avec mes lecteurs apprentis et mes lecteurs débutants, j'utilise surtout des livrets de lecture gradués, qui sont vendus en paquets de cinq ou six exemplaires par titre, de façon que tous les élèves réunis aient le même livre en main. Il y a quelques années, lorsque j'ai commencé à mettre cette approche en pratique dans ma classe, il n'existait aucun matériel gradué en français. Aujourd'hui, plusieurs maisons d'édition publient des collections de livrets gradués très attrayantes. En voici des exemples:

- collections «GB+», «Zap sciences» et «Alizé» (Beauchemin – Chenelière Éducation);

- collections «Alpha-Jeunes» et «Alpha-Monde» (Éditions Scholastic);

- collections «Je lis, tu lis» et «À petits pas» (Éditions Duval);

- collection «Colorissimo» (Groupe Modulo);

- on trouve également certains livrets de lecture gradués à télécharger sur Internet (www.readinga-z.com).

Avant l'achat des livrets de l'une ou l'autre de ces collections, je vous suggère de les consulter; vous pourrez ainsi lire et choisir ceux qui vous conviennent le mieux. Comme il s'agit la plupart du temps d'adaptations de textes initialement écrits en anglais, il faut vous assurer de la bonne qualité du français et de la bonne correspondance entre le texte et le niveau de difficulté indiqué. À cet égard, il m'est parfois arrivé de constater qu'un texte était ou mal traduit, ou d'un niveau plus élevé que celui indiqué sur le livret.

Les livrets de lecture sont gradués selon différentes échelles. Les éditeurs qui publient des collections de livrets gradués utilisent des lettres, des chiffres ou des couleurs pour indiquer les niveaux des livres (voir le tableau 3.2). Je trouve que les livrets de lecture gradués sont particulièrement appropriés aux lecteurs apprentis et aux lecteurs débutants puisque les séries commencent généralement au niveau 1 (ou A), le niveau le plus facile. Pour mes lecteurs en transition et mes lecteurs compétents, je choisis des livres de type «premières lectures» et «premiers romans». L'important est de bien choisir les livres selon le niveau de compétence de l'enfant et non selon son niveau scolaire.

Tableau 3.2 | La gradation des livrets pour la lecture guidée

Échelle de Fountas et Pinnell	Échelle de Clay	Échelle de couleurs
A	-	Prémagenta
B	1-2	Magenta
C	3-4	Rouge
D	5-6	Rouge (5) et Jaune (6)
E	7-8	Jaune
F	9-10	Bleu
G	11-12	Bleu (11) et Vert (12)
H	13-14	Vert
I	15-16	Orange
J	17-18	Turquoise
K	19-20	Violet
L	21-22	Or
M	23	Argent
N	24	Argent
O	25	Émeraude
P	26	Émeraude
Q	27	Rubis
R-S	28	Rubis
T-U	29	Saphir
V	30	Saphir

Note : Dans les premiers niveaux, les phrases sont simples et constituées de mots courants. La structure est répétitive et prévisible. Les illustrations sont en lien direct avec le texte. Les textes se complexifient ensuite graduellement.

Tranche de vie

Lorsqu'il est arrivé dans ma classe, Markely avait été promu en 2e année, mais ne maîtrisait aucune stratégie de lecture. Il ne savait pas lire. Il avait probablement été en situation d'échec pendant toute sa première année, incapable de lire les textes qu'on lui proposait. Pour la lecture guidée, Markely a donc été jumelé à un groupe de lecteurs débutants pour lequel j'ai choisi des livres de niveau approprié. L'enfant s'est tout de suite senti à l'aise dans ce groupe. Il fallait voir ses yeux lorsqu'il s'est rendu compte qu'il était capable de lire un petit livre au complet pour la première fois. Dans sa joie et sa surprise, il a éclaté de rire ! J'ai encore un frisson lorsque je pense à ce moment. Depuis ce jour, il vient souvent me demander de l'écouter lire pendant la période de lecture autonome. Il est fier de me montrer qu'il est capable de lire. Il ne lit pas encore des romans comme certains de ses pairs, mais il est heureux de lire des livres qui sont à son niveau. Il éprouve du plaisir à le faire.

La lecture guidée

Les collections de livrets gradués assurent une légère gradation d'un livret à l'autre. Cela est très profitable aux élèves qui progressent lentement. En effet, certains enfants ont besoin de plus de temps pour apprendre à bien maîtriser les stratégies de lecture. Une légère gradation d'un livre à l'autre est donc nécessaire. Par contre, d'autres enfants seront en mesure de lire des livres de type «premières lectures» beaucoup plus rapidement (voir le chapitre 10 sur l'évaluation). Certains d'entre eux progresseront à une vitesse telle qu'ils pourront lire leurs premiers romans dès Noël. Je tente de respecter ces différences en offrant aux élèves une panoplie de livres qui les accommoderont le mieux possible. Je ne reste pas collée à une seule collection jour après jour. Je demeure attentive aux besoins des élèves. Je ne veux pas retomber dans la routine du manuel scolaire. Je me dois d'explorer d'autres avenues et de proposer à mes élèves une variété de livres qui continueront de répondre à leurs besoins au fil de leur évolution.

Voici des suggestions de collections de type «premières lectures»:

- À pas de loup (Éditions Dominique et compagnie);
- Chanteloup (Éditions Père Castor Flammarion);
- Je peux lire (Éditions Scholastic);
- Milan Poche Benjamin (Éditions Milan);
- Rat de bibliothèque (ERPI);

… et des suggestions de collections de type «premiers romans»:

- Carrousel Mini-roman (Éditions Héritage);
- L'Heure plaisir coucou (Éditions HRW);
- Maboul (Éditions Boréal);
- Mini-Bilbo (Éditions Québec Amérique jeunesse);
- Roman rouge (Éditions Dominique et compagnie);
- Ma petite vache a mal aux pattes (Soulières éditeur).

Tranche de vie

Lorsque nous avons commencé à mettre cette approche en pratique dans nos classes, ma collègue Georgie et moi enseignions en première année. Nous avons fait preuve de prudence avant de nous lancer dans l'achat de livrets de lecture gradués. Nous avons commencé avec quelques titres de niveaux 1 à 6, puis nous avons précisé nos besoins au fil du temps. Nous n'avons pas acheté une collection entière de livrets gradués dès le départ. Nous avons pris le temps d'observer et d'évaluer nos élèves, puis nous avons lentement garni nos bibliothèques en fonction de nos besoins. En plus des livrets gradués, nous avons acheté des livres de type «premières lectures» et de type «premiers romans», en cinq exemplaires chacun, pour pouvoir les utiliser en lecture guidée avec certains de nos groupes.

Le partage des livres

Mes collègues du premier cycle et moi partageons tous les livres qui sont utilisés en lecture guidée (livrets gradués, «premières lectures», «premiers romans», etc.). Ceux-ci sont classés dans des paniers en fonction de leur niveau de difficulté. Chaque enseignante emprunte des livres en tenant compte des besoins spécifiques de ses élèves et les échange régulièrement. Il est interdit aux enfants de prendre ces livres pour la lecture autonome puisqu'ils seront utilisés en lecture guidée.

La flexibilité des groupes

Les groupes pour la lecture guidée doivent être flexibles. Les enfants ne progressent pas tous au même rythme. À la suite de mes observations et de mes évaluations quotidiennes (voir le chapitre 10), je refais donc le classement des élèves régulièrement en fonction de leurs besoins et je modifie la composition des groupes de lecture en conséquence.

En début d'année scolaire, la majorité des élèves qui commencent leur première année ne savent pas lire. Les petits sont, à peu d'exceptions près, sensiblement du même niveau d'habileté. Toutefois, dès les premières semaines, on peut souvent observer des écarts qui se créent quant à leurs rythmes d'apprentissage. Je dois tenir compte de ces différences en modifiant régulièrement la composition de mes groupes et en choisissant minutieusement les livres qui seront utilisés avec chacun de ces groupes (livres dont les élèves pourront lire entre 90 % et 94 % des mots).

Tranche de vie

Dans ma classe, Rosalie est rapidement passée du stade de lectrice apprentie au stade de lectrice en transition. Elle est demeurée très peu de temps au stade de lectrice débutante. Elle a donc joint le groupe des lecteurs en transition plus rapidement que Marilyne, qui, elle, progressait plus lentement. Rosalie et Marilyne ont toutes deux amélioré leur compétence à lire, mais à des rythmes différents. Mes observations m'ont été très utiles pour répondre adéquatement aux besoins différents de ces deux élèves.

Le déroulement

Avant chaque rencontre, je détermine une ou deux stratégies à revoir avec le groupe (voir le chapitre 2). Par exemple, je peux décider de travailler la stratégie graphophonétique avec des lecteurs débutants. Ou encore, j'utilise la carte sémantique pour accroître le niveau de compréhension de mes lecteurs compétents. Puis, je choisis un livret de lecture gradué ou un livre de niveau approprié, qui me permettra de bien enseigner la stratégie choisie.

Je prévois une période de lecture guidée chaque matin. Je rencontre alors un de mes groupes. Nous nous assoyons en cercle par terre ou autour d'une table. J'ai un nombre suffisant de copies du même livre en main. Je ne les remets pas tout de suite. Je dois d'abord préparer mes élèves à la lecture.

La préparation à la lecture

La préparation à la lecture guidée s'apparente à celle de la lecture partagée à quelques nuances près. Je montre d'abord le livre. Je lis le titre. Je nomme l'auteur et l'illustrateur. Puis, je demande aux enfants de s'exprimer sur le sujet du livre ou de faire des prédictions sur l'histoire. Je communique l'intention de lecture aux élèves et je travaille ensuite une ou deux stratégies de lecture avec eux. Puis, ceux-ci vont lire le livret tout seuls.

La lecture

Chaque élève va s'installer dans un endroit calme de la classe avec son livre pour le lire à voix basse (ou en silence). Moi, je circule de l'un à l'autre pour écouter et guider. Je passe quelques minutes avec chacun. J'écoute, j'observe et je note parfois mes observations. Lorsqu'un enfant bute sur un mot, je l'aide à trouver une stratégie adéquate à partir des indices du texte. Je m'assure que tous mettent en pratique la stratégie enseignée et utilisent les trois systèmes d'indices (sémantique, syntaxique et visuel) pour surmonter les difficultés éprouvées en cours de lecture.

Lorsqu'un enfant n'est pas capable de surmonter une difficulté et que je ne suis pas à ses côtés, il peut utiliser un signet pour marquer la page où se trouve la difficulté. Nous en discuterons après la lecture.

Après la lecture

Quand tous les élèves ont terminé leur lecture, je les rassemble pour une dernière discussion. Cette discussion peut porter sur le contenu du texte ou sur les stratégies de lecture.

Exemple avec le livre *Petit Chaton s'amuse* (niveau 8, collection « GB+ ») :

MOI : Pourquoi croyez-vous qu'après toutes ses bêtises Petit Chaton a finalement décidé de rester dans la maison et d'être gentil ?

(Les illustrations du livre montrent clairement que Petit Chaton a peur de Gros Minet qui l'attend de pied ferme à l'extérieur de la maison.)

MOI : Croyez-vous que Petit Chaton a bien fait de rester à l'intérieur ?

Une discussion s'ensuit. Puis :

MOI : Y a-t-il des mots que vous avez eu de la difficulté à lire ? Quelle stratégie avez-vous utilisée pour y arriver ?

Grâce à ces discussions, je suis toujours étonnée de constater à quel point les enfants deviennent habiles à nommer les stratégies qu'ils utilisent.

Chaque période de lecture guidée est donc structurée sensiblement de la même façon :

■ La préparation à la lecture :
  - lecture du titre, du nom de l'auteur et de celui de l'illustrateur ;
  - liens avec les expériences des élèves ou prédictions de l'histoire ;
  - intention de lecture ;
  - révision d'une ou deux stratégies de lecture ;
  - promenade visuelle (pour les lecteurs apprentis et les lecteurs débutants).

■ La lecture :
  - lecture individuelle par chaque élève (pratique des stratégies enseignées) ;
  - soutien personnalisé de ma part ;
  - discussion sur les stratégies de lecture avec chaque élève.

■ Après la lecture :
  - retour en sous-groupe ;
  - discussion sur le texte ;
  - retour sur les prédictions ;
  - discussion sur les stratégies utilisées.

Des exemples d'animations selon les différents niveaux d'habileté

Les lecteurs apprentis

La première stratégie que j'enseigne explicitement aux lecteurs apprentis est la stratégie de l'image. Après l'avoir démontrée en lecture partagée, je la revois systématiquement en lecture guidée avec tous mes lecteurs apprentis. Je dois également montrer à ces lecteurs comment pointer chaque mot avec le doigt.

Exemple à l'aide du livret *Bébé* (niveau 1, collection « GB+ ») :

MOI : Le titre de ce livre est *Bébé*. Que voit-on sur la page titre ?

ANDRÉE-ANNE : Un bébé.

MOI : Oui. L'image nous aide à lire le titre du livre. Qui a un bébé frère ou sœur parmi vous ? Est-ce que vous connaissez des choses qu'un bébé peut faire ?

J'anime une discussion.

MOI : Dans ce livre, on va voir ce qu'un bébé peut faire.

Je distribue le livret aux enfants et leur demande de l'ouvrir à la première page.

MOI : Qu'est-ce que Bébé fait sur l'image ?

THOMAS : Il boit.

MOI : Oui. Maintenant regardez la phrase. C'est écrit : « Bébé boit. » Combien y a-t-il de mots sur la page ?

INÈS : Deux mots.

MOI : Mettez votre doigt sous le premier mot. Lisez avec moi en pointant bien chaque mot.

Tous :	Bébé boit.
Moi :	L'image est très utile ; elle nous aide à lire. Tournez la page. Que fait Bébé sur cette image ?
Tous :	Il mange.
Moi :	Mettez votre doigt sous le premier mot. Qu'est-ce qui est écrit ?
Tous :	Bébé mange.
Moi :	Bravo ! Maintenant, nous allons regarder chacune des images du livre, puis vous lirez le livre tout seuls. Rappelez-vous que les images peuvent nous aider à lire les mots.

Nous discutons ensuite des autres illustrations du livre (promenade visuelle). Par mes interventions, je dirige l'attention des enfants vers ce qui me semble le plus important pour les préparer le mieux possible à une lecture individuelle. Je reformule parfois leurs commentaires en utilisant les mots du texte. Si le texte contient des mots difficiles (que mes élèves non francophones sont peu enclins à connaître), je m'y arrête et nous en discutons. Je montre la relation entre les images et les mots du texte.

Puis, chaque élève se retire dans un coin de la classe pour lire le livre tout seul. Je circule de l'un à l'autre pour guider chacun dans sa lecture. Je m'assure que les enfants se servent de la stratégie de l'image et que les doigts pointent correctement les mots.

En guise de retour, en fin d'activité, je peux demander aux jeunes lecteurs de nommer les choses que Bébé peut faire et de démontrer les stratégies utilisées pendant la lecture.

Les lecteurs débutants

Je peux décider d'attirer l'attention d'un groupe de lecteurs débutants sur la stratégie graphophonétique après observation d'une lacune de certains lecteurs à cet égard.

Exemple à l'aide du livret *La fête des Mères* (niveau 7, collection « GB+ ») :

Moi :	Aujourd'hui, nous allons lire un livre qui s'intitule *La fête des Mères*. L'auteur du livre est Beverley Randell et les illustrations sont de Naomi C. Lewis. Avez-vous déjà célébré la fête des Mères ? Comment cela s'est-il passé ?

Je laisse les élèves échanger à ce sujet.

Moi :	Nous allons lire l'histoire pour savoir comment se déroule la fête des Mères chez Emma et Mathieu.

Je remets les livrets aux enfants. Je demande à un élève de lire la première phrase.

Markely :	Regarde ma lettre...
Moi :	Comment as-tu fait pour lire le mot *lettre* ?
Markely :	J'ai regardé l'image et j'ai vu qu'Emma montre sa lettre à son papa. (indice visuel : l'image)

MOI: Bien. Par quelle lettre commence le mot *lettre*? (indice visuel: stratégie graphophonétique)

MARKELY: Un *l*. Oups... Le mot qui est écrit commence par un *c*.

MOI: Quels sons peut faire le *c*?

MARKELY: «sss» ou «kkk».

MOI: Regarde la voyelle qui suit le *c*...

MARKELY: C'est un *a*. Alors le *c* fait «kkk»...

MOI: Regarde ma... Continue. Relis le mot jusqu'au bout.

MARKELY: Ca...rrr...t...e. Carte! «Regarde ma carte», dit Emma.

MOI: Est-ce que ce mot a du sens dans la phrase? (indice sémantique)

MARKELY: Oui.

MOI: Bravo! Tu viens d'utiliser une stratégie de lecture très importante. C'est la stratégie des lettres. Il faut toujours l'utiliser pour vérifier que le mot est bien lu.

Je poursuis ainsi la lecture d'une ou deux pages et je continue d'attirer l'attention des élèves sur la stratégie graphophonétique (que j'appelle «la stratégie des lettres» pour mes élèves). Puis, j'invite les enfants à lire le livret tout seuls.

MOI: Trouvez-vous un endroit tranquille dans la classe pour lire la suite du livre tout seuls. N'oubliez pas d'utiliser la stratégie des lettres pour vérifier toutes vos prédictions.

Je circule alors d'un élève à l'autre pour écouter et guider la lecture de chacun. Lorsque tout le monde a terminé, nous revenons en sous-groupe et discutons de la manière dont se passe la fête des Mères chez Emma et Mathieu (retour sur l'intention de lecture).

Les lecteurs en transition et les lecteurs compétents

Avec les lecteurs plus expérimentés, la période de lecture guidée doit surtout servir à accroître la compréhension des textes lus et à acquérir une pensée critique. Puisqu'ils maîtrisent bien les stratégies d'identification des mots, ces lecteurs doivent apprendre des stratégies de compréhension. Il va sans dire qu'ils n'ont pas besoin d'une aussi grande préparation que les lecteurs débutants. Je n'ai souvent qu'à leur présenter rapidement le livre avant la lecture silencieuse. Toutefois, mes lecteurs en transition auront peut-être besoin d'une plus grande préparation avec moi, selon les apprentissages visés. Si des mots du texte risquent d'être difficiles à décoder ou à comprendre pour certains élèves, j'utilise le tableau blanc ou du papier grand format pour les leur présenter.

Avec ces lecteurs, j'encourage énormément les discussions sur les livres. La période de lecture guidée avec eux peut prendre différentes formes selon les stratégies abordées: étude du schéma du récit, analyse des relations entre les personnages, cercles de lecture, etc. Voici donc quelques idées d'activités que j'ai expérimentées dans ma classe.

L'utilisation du schéma du récit

Dans plusieurs histoires, on distingue clairement le schéma du récit: un début, un problème, une solution et une fin. Il peut donc être pertinent d'attirer l'attention des élèves sur cette structure puisque «les chercheurs ont démontré l'existence d'une relation entre la connaissance du schéma du récit et la compréhension du texte» (Giasson, 2003, p. 282). Voici les questions que j'aborde avec mes élèves:

Début: Qui? Où? Quand?

Problème: Quel est le problème du personnage principal?

Solution: Comment le personnage règle-t-il son problème?

Fin: Comment se termine l'histoire?

Généralement, avant la lecture, je donne à chaque enfant une feuille lignée avec cette structure (voir l'annexe C-1). J'explique que la connaissance du schéma du récit peut aider à comprendre une histoire. Je demande à l'élève de remplir la fiche au fur et à mesure de sa lecture. Lorsque tout le monde a terminé, j'encourage les élèves à partager leurs observations et à discuter de la stratégie de compréhension utilisée.

Notamment, avec sa série des *David* (collection «Roman rouge», Éditions Dominique et compagnie), l'auteur François Gravel utilise clairement le schéma du récit: toutes les histoires de cette série sont structurées avec un début, un problème, une solution et une fin. Mes élèves (autant les garçons que les filles) aiment beaucoup les *David*. Comme il existe plusieurs aventures de ce personnage, je les laisse choisir les titres qui les inspirent le plus. Ils lisent au moins un livre de leur choix, remplissent une fiche du schéma du récit pour chaque livre lu, puis présentent à tour de rôle un livre à leurs camarades.

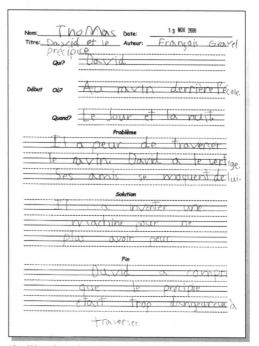

L'utilisation du schéma du récit par Thomas

Cette activité les éveille à la structure traditionnelle d'une histoire, en plus de susciter l'envie de lire tous les *David*! Il n'y a rien de plus stimulant qu'un camarade qui raconte un bon livre qu'il a lu. N'est-ce pas la même chose pour nous, adultes?

La compréhension des relations entre les personnages

Pour comprendre les relations qui existent entre des personnages, je propose parfois aux élèves d'utiliser une carte sémantique. Par exemple, mes lecteurs en transition ont lu *Pépé, Flox et le facteur* (adorable petit livre!) de Marisol Sarrazin (collection «À pas de loup», Éditions Dominique et compagnie). Dans cette histoire, Pépé est le grand-père de Flox et il lui montre comment se débarrasser du facteur. Les relations entre les personnages y sont clairement établies.

La carte sémantique de Rosalie

Je demande donc aux élèves de lire le livre et de construire un graphique qui mettra en évidence ces relations (voir l'annexe C-2) :

1. Ils dessinent le personnage principal (Flox) au centre.

2. Ils dessinent les trois autres personnages (Pépé, Thomas et le facteur) autour du personnage principal.

3. Ils écrivent le nom de chaque personnage sous les dessins.

4. Ils précisent la relation de chacun des personnages avec Flox. Exemple :

- Pépé est le grand-père de Flox.
- Thomas est son maître.
- Le facteur est son ennemi juré.

Lorsque chaque élève a terminé son analyse, je fais un retour en petit groupe pour animer une discussion sur les relations entre les personnages de l'histoire.

Les cercles de lecture

J'appelle les cercles de lecture nos « discussions de salon ». Le groupe entier participe quelquefois aux cercles de lecture (par exemple lors de l'étude d'un auteur), mais je les propose également lors de la période de lecture guidée avec mes lecteurs plus expérimentés. Pendant cette activité, les élèves lisent parfois le même livre, parfois des livres différents d'un même auteur ou sur un même thème. L'activité peut s'échelonner sur quelques semaines. Elle se divise comme suit :

1. Le choix du livre

   Lorsque le cercle porte sur un auteur ou un thème, je propose une série de livres et laisse les élèves choisir eux-mêmes celui qu'ils ont envie de lire.

2. La lecture du livre

   Cela peut se faire en classe et à la maison. Je fixe un délai de lecture raisonnable aux enfants.

3. La réaction écrite

   La réaction écrite prépare les élèves à la discussion qui suivra. Elle stimule une réflexion de chaque participant. La réaction peut être individuelle ou interactive.

   Pour une réaction individuelle, je fournis aux élèves une feuille sur laquelle j'inscris des questions qui peuvent les guider dans l'écriture de leurs commentaires (voir l'annexe C-3).

Par ailleurs, lorsque des lecteurs compétents ont lu le même livre, la réaction interactive est fort appropriée. Je remets alors une feuille vierge à chaque élève. En silence, chacun doit écrire un commentaire sur le livre qu'il a lu : parler d'un personnage qu'il a particulièrement aimé, souligner un passage préféré, indiquer quelque chose qui l'a frappé, dire ce que le livre lui a rappelé, etc. Après cinq minutes, je demande aux élèves d'échanger leurs feuilles (la rotation se fait dans le sens des aiguilles d'une montre) et de répondre au commentaire de leur camarade par écrit (sans ouvrir la bouche). Nous continuons ainsi l'échange des commentaires à toutes les cinq minutes, jusqu'à ce que chaque feuille soit de retour devant son auteur d'origine. Les enfants lisent les commentaires en silence. Puis, la discussion peut commencer.

Cette activité de réaction interactive est très amusante ! Elle stimule beaucoup la discussion. Elle prépare les élèves à des échanges intéressants. Pour que l'activité fonctionne bien, les élèves qui y participent doivent être des lecteurs et des scripteurs compétents.

4. La discussion

Généralement, puisque les élèves ont déjà fait leur réflexion sur le livre par un commentaire écrit, la discussion s'alimente d'elle-même. Je suis toutefois présente pour m'assurer du bon déroulement de l'activité.

Les activités de prolongement

À la suite de la lecture d'un livre, je propose parfois aux élèves une activité de prolongement liée directement au livre lu.

Voici des exemples d'activités de prolongement.

Une suite à l'histoire

Après la lecture du livre *Hubert et les haricots verts* d'Anne-Marie Chapouton et de Serge Ceccarelli (collection « Chanteloup », Père Castor Flammarion), je demande aux élèves d'écrire une suite à l'histoire. Ce livre se prête particulièrement bien à ce type d'activité. Lorsque les élèves ont terminé leur rédaction, nous comparons les idées de chacun. Comme autre activité, on peut aussi demander aux élèves d'écrire une nouvelle histoire à partir de livres lus.

Une nouvelle histoire

Après la lecture des livres *Les bêtises des enfants* et *Les bêtises des parents* de Louise Tondreau-Levert (collection « À pas de loup », Éditions Dominique et compagnie), je demande aux élèves d'inventer une nouvelle intrigue qui s'intitulera *Les bêtises de...* Ils sont toujours très inspirés par ce type d'activité.

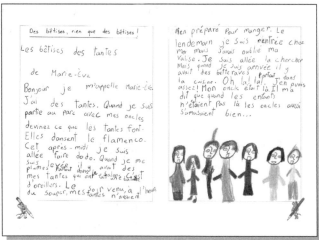

« Les bêtises des tantes » de Marie-Ève

La reconnaissance de rimes

Parfois, j'amène les élèves à s'attarder plus particulièrement à un aspect de l'écriture d'un auteur. Par exemple, dans *Pépé, Flox et le facteur*, l'auteure utilise beaucoup de rimes. Alors je demande aux élèves de relever tous les mots qui riment dans le livre.

Une initiation aux fables

Cette année, j'ai initié Patrick, Sami et Simon-Pierre, trois élèves très avancés en lecture, à la fable *Le Corbeau et le Renard* de Jean de La Fontaine. Ils ont d'abord lu individuellement le livret *Le Corbeau et le Renard* de la collection « GB+ » puis, après discussion sur cette histoire, je leur ai présenté l'œuvre originale de La Fontaine. Nous avons lu le texte ensemble. J'avais repéré les mots difficiles à l'avance. Je me suis assurée qu'ils comprennent très bien le texte. Nous avons discuté de ce qu'est une fable. Puis, les trois garçons ont appris le texte par cœur. Après une semaine de travail à l'école et à la maison, ils étaient capables de le réciter magnifiquement. J'avoue que j'étais vraiment impressionnée !

Il y a tant à faire ! Tout est possible ! Il faut toutefois s'assurer de la capacité de chaque enfant à réaliser ce dont on s'attend de lui. Je savais que seuls mes trois garçons très compétents en lecture pouvaient à ce moment précis de l'année être initiés aux fables de La Fontaine. Ils étaient prêts à vivre cette nouvelle expérience. Je n'aurais pas proposé cette activité aux autres élèves. C'est encore un exemple qui démontre l'importance de diversifier son enseignement de façon à respecter les rythmes d'apprentissage variés que l'on trouve dans une classe. La lecture guidée représente une excellente occasion pour le faire.

Le temps alloué à la lecture guidée

J'accompagne chacun des sous-groupes en lecture guidée environ 30 minutes une fois par semaine. En début d'année, la période peut être un peu moins longue avec les lecteurs apprentis et les débutants. Je lis parfois que certains enseignants arrivent à voir tous leurs sous-groupes chaque jour de la semaine mais, honnêtement, je ne sais pas comment ils font pour trouver ce temps. Pour ma part, je suis pleinement satisfaite lorsque je réussis à rencontrer tous mes élèves en lecture guidée au moins une fois au cours de chaque semaine.

Après la lecture guidée

Les livrets lus en lecture guidée par les lecteurs apprentis, les lecteurs débutants et les lecteurs en transition sont systématiquement mis dans leurs sacs de lecture. Ils pourront être relus pendant la période de lecture autonome en classe et le soir à la maison. Une relecture de ces livres permettra aux élèves de développer leur fluidité. D'autre part, les livres lus par les lecteurs compétents sont remis dans la bibliothèque puisque leur lecture est très fluide ; la relecture n'est donc pas nécessaire dans leur cas.

Au chapitre 4, je reparlerai plus longuement du sac de lecture et de l'importance de la relecture.

Les activités pour le reste du groupe

Dès le début de l'année, il est très important d'habituer les élèves à être autonomes pendant la période de lecture guidée. Ce moment est particulièrement précieux puisqu'il me permet de travailler de façon pointue avec chaque groupe de lecteurs. Il faut donc que je m'assure de ne pas être dérangée pendant cette période. Pour ce faire, je propose aux élèves des activités simples de lecture et d'écriture pour lesquelles ils n'auront pas besoin de mon aide.

Voici des activités que les lecteurs apprentis et les lecteurs débutants peuvent réaliser de façon autonome :

- Création d'un abécédaire à partir d'un canevas que je leur fournis au début de l'année (voir l'annexe C-4) :

  L'élève écrit deux mots qui commencent par chacune des lettres de l'alphabet et les illustre dans des cadres correspondants. Il peut se servir du mur de mots et de tous les imprimés qui se trouvent dans la classe pour trouver des mots.

- Reproduction de lettres ou de mots-étiquettes à l'aide de pâte à modeler ou par frottis.

- Lecture des livres de leur sac de lecture.

Voici des activités que les lecteurs en transition et les lecteurs compétents peuvent réaliser de façon autonome :

- Lecture de livres au choix :

  Au début de chaque semaine, je remets une fiche de lecture à chaque élève (voir l'annexe C-5). Chaque jour, l'enfant doit y écrire les titres des livres qu'il lit. Il doit choisir des livres à sa mesure dans la bibliothèque de la classe. À la fin de la semaine, il écrit un commentaire sur le livre qu'il a préféré parmi ceux qu'il a lus au cours de la semaine (voir l'annexe C-3).

- Lecture de romans :

  Pour varier l'activité de lecture autonome, en cours d'année, je présente aux lecteurs compétents une série de premiers romans d'auteurs variés. Je laisse ces livres dans un panier mis à leur disposition. Les élèves choisissent les livres du panier qui les attirent le plus. Chaque fois qu'ils terminent un livre, ils doivent répondre à une question ouverte. Dans le panier de livres, j'ai déposé plusieurs copies des « fiches-questions » à l'intérieur de pochettes de plastique, pour encourager la réflexion du lecteur. Les élèves peuvent se servir librement.

  Voici la ou les questions posées pour chacun des romans suivants :

- *Valentine Picotée* de Dominique Demers (collection « Bilbo », Éditions Québec Amérique)

  Comment décrirais-tu le personnage d'Alexis dans cette histoire ? Que sais-tu de lui ?

Une fiche-question remplie par Imane

- *Toto la brute* de Dominique Demers (collection « Bilbo », Éditions Québec Amérique)
  Comment trouves-tu Toto dans cette histoire ?

- *Léon Maigrichon* de Dominique Demers (collection « Bilbo », Éditions Québec Amérique)
  Trouves-tu que Macaroni a raison de nommer Alexis « le champion des champions » ? Pourquoi ?

- *Marie la chipie* de Dominique Demers (collection « Bilbo », Éditions Québec Amérique)
  Trouves-tu qu'Alexis a eu une bonne idée pour attirer l'attention de ses parents ? Pourquoi ?

- *Isidor Suzor* d'Anique Poitras (collection « Roman rouge », Éditions Dominique et compagnie)
  Trouves-tu qu'Anique a bien fait d'insister pour rencontrer Isidor Suzor ? Pourquoi ?

- *Choupette et Oncle Robert* de Gilles Tibo (collection « Roman rouge », Éditions Dominique et compagnie)
  Quelle collection d'Oncle Robert aimerais-tu avoir ? Pourquoi ?

- *Choupette et son petit papa* de Gilles Tibo (collection « Roman rouge », Éditions Dominique et compagnie)
  Trouves-tu que le papa de Choupette a des comportements bizarres ? Que fait-il que les autres papas ne font pas ?

- *Choupette et Tante Loulou* de Gilles Tibo (collection « Roman rouge », Éditions Dominique et compagnie)
  Aimerais-tu avoir une tante comme Tante Loulou ? Pourquoi ?

- *David et le fantôme* de François Gravel (collection « Roman rouge », Éditions Dominique et compagnie)
  Aurais-tu eu peur si tu avais été à la place de David ? Pourquoi ?

- *David et la maison de la sorcière* de François Gravel (collection « Roman rouge », Éditions Dominique et compagnie)
  D'après toi, pourquoi Mme Esther et le papa de David sont-ils tristes au début de l'histoire ? Pourquoi deviennent-ils ensuite plus heureux ?

- *David et l'orage* de François Gravel (collection « Roman rouge », Éditions Dominique et compagnie)
  Trouves-tu que David a été courageux dans cette histoire ? Pourquoi ?

- *David et le précipice* de François Gravel (collection « Roman rouge », Éditions Dominique et compagnie)

  D'après toi, que serait-il arrivé à David si le tronc d'arbre n'avait pas été enlevé ?

- *David et les crabes noirs* de François Gravel (collection « Roman rouge », Éditions Dominique et compagnie)

  Est-ce qu'il t'arrive de faire des cauchemars comme David ? Que fais-tu pour les oublier ?

- *David et les monstres de la forêt* de François Gravel (collection « Roman rouge », Éditions Dominique et compagnie)

  Aimes-tu cette histoire ? Pourquoi ?

- *La Nouvelle Maîtresse* de Dominique Demers (collection « Bilbo », Éditions Québec Amérique)

  Comment trouves-tu Mlle Charlotte ?

- *La Mystérieuse Bibliothécaire* de Dominique Demers (collection « Bilbo », Éditions Québec Amérique)

  Quels sont les passages de ce livre que tu as aimés ? Pourquoi ?

- *Les mille chats de madame Emma* de Nathalie Fredette (collection « Bilbo », Éditions Québec Amérique)

  Quel est le problème de Camille dans cette histoire ? Comment son problème se règle-t-il ?

- *Le triste secret de madame Emma* de Nathalie Fredette (collection « Bilbo », Éditions Québec Amérique)

  Quel est donc le secret de Mme Emma qui la rend si triste ? Trouves-tu qu'elle a raison d'être triste ?

- *Solo chez grand-maman Pompon* de Lucie Bergeron (collection « Mini-Bilbo », Éditions Québec Amérique)

  Avant la lecture : D'après toi, que se passera-t-il dans ce nouveau roman de Lucie Bergeron ?

  Après la lecture : Est-ce que tes prédictions étaient justes ? Explique.

Le carnet de lecture est inséré dans un classeur à attaches (Duo-Tang) que je ramasse à la fin de chaque semaine. Je lis les commentaires des élèves et j'y réponds par une ou deux phrases. Attention ! Je ne corrige pas les fautes d'orthographe, mais j'en prends bonne note pour mes leçons prochaines en écriture. Je commente le livre comme une lectrice, pas comme une enseignante. J'alimente la réflexion. Mes élèves ont toujours hâte de lire mes messages.

Chapitre 4 | La modélisation et la pratique

La lecture de livres par l'enseignant

J'ai toujours lu des livres à mes élèves. Je le faisais quand j'avais un peu de temps, avant une récréation ou à la fin de la journée. Je ne lisais pas nécessairement chaque jour. Maintenant, j'intègre la lecture aux élèves à ma planification. J'essaie de lire chaque jour.

Le choix des livres

Pour lire un livre aux élèves, je dois d'abord l'aimer. Si je n'aime pas un livre, je ne le lis pas. Je veux partager mon plaisir de lire.

Il m'importe donc de choisir de la littérature de qualité. Il n'est pas question ici d'attraper n'importe quel bouquin qui me tombe sous la main. Je cherche plutôt des histoires et des mots qui me font vibrer. Qui m'émeuvent. Me font rire. Me font réfléchir. Je cherche des illustrations qui me touchent ou m'amusent. Je sélectionne de bons livres. Je me dis que, si je suis touchée de quelque façon par un livre, il y a bien des chances pour que les enfants le soient également.

Je choisis surtout des albums parce que certains enfants ont encore besoin des illustrations pour comprendre les textes. Puisque c'est moi qui lis, les textes sont plus difficiles que ceux utilisés en lecture partagée, en lecture guidée et en lecture autonome. Dans le milieu multiethnique où j'enseigne, beaucoup d'enfants ne maîtrisent pas encore parfaitement la langue française. Les images leur sont donc très utiles pour mieux comprendre.

Pourquoi lire aux élèves ?

En lisant des livres à mes élèves, j'entretiens et je développe le plaisir de lire. Je démontre comment une lectrice experte lit à haute voix. Je deviens un modèle. Les enfants aiment m'entendre lire. Ils adorent se faire raconter des histoires. Ils discutent de façon spontanée. C'était le cas lors de la présentation du livre *Yayaho, le croqueur de mots* de Geneviève Lemieux, illustré par Bruno St-Aubin (collection « Raton Laveur », Éditions Modulo) :

Imane : Ah! Oui! On a d'autres livres qui sont illustrés par Bruno St-Aubin!

Elle fouille dans la bibliothèque et trouve le livre qu'elle cherchait.

Imane : C'est lui qui a illustré *Tout pour plaire à mon nouveau papa* de Luc Durocher.

Sami : Bruno St-Aubin a aussi écrit *Papa est un dinosaure!*

Elias : ... et aussi *Papa est un castor bricoleur* et *Drôle de cauchemar*.

J'encourage ces discussions. Pendant la lecture, je me questionne. Je m'étonne. J'introduis du vocabulaire nouveau. J'accrois la compréhension. Souvent, je n'ai d'autre but que le plaisir. Parfois, j'intègre des questions qui prépareront mon groupe à une étude littéraire (voir le chapitre 5).

Ce moment de lecture est unique dans notre journée. Les poussins sont rassemblés autour de la poule! Et nous partageons ensemble notre bonheur de lire un bon livre. Dans le plaisir, nous enrichissons aussi notre culture littéraire.

La lecture autonome

Il est important de prévoir une période assez longue de lecture autonome chaque jour (environ 15 minutes). Cette période permet aux élèves d'utiliser les stratégies de lecture de façon autonome. Pour les lecteurs apprentis, les lecteurs débutants et les lecteurs en transition, cette pratique aide également à reconnaître les mots courants et à atteindre la fluidité. Une lecture fluide favorise une meilleure compréhension des textes lus.

Le matériel

Les livres utilisés pour la lecture autonome doivent être de niveau adéquat. C'est le rôle de l'enseignant de s'assurer que les élèves lisent des livres de niveaux appropriés, d'où l'importance d'avoir des livres gradués dans la classe. Pour pouvoir lire de façon complètement autonome, l'élève doit être capable de décoder **entre 95 % et 100 % des mots**. Si l'élève bute sur plus de 5 mots sur 100, le livre est trop difficile pour lui.

Je remets aux lecteurs apprentis et aux débutants les livrets de lecture que nous avons déjà utilisés en lecture guidée et d'autres livres qu'ils pourront lire facilement. Ils peuvent également relire les grands livres que nous avons lus ensemble en lecture partagée. Les livrets sont déposés dans des sacs de lecture (des grands sacs de type *Ziploc*) que les élèves gardent dans leurs tiroirs. J'en modifie régulièrement le contenu et j'essaie d'offrir une variété de livres aux enfants en respectant leurs champs d'intérêt. Je sais que cela n'est pas toujours possible, car les bibliothèques de nos classes ne sont malheureusement pas garnies d'autant de livres qu'elles devraient l'être, mais, quand je le peux, j'essaie de satisfaire les goûts de mes élèves.

Les lecteurs en transition possèdent également un sac de lecture. Je leur demande parfois de relire certains textes qu'ils ont déjà lus en lecture guidée pour améliorer leur fluidité. À d'autres occasions, je les laisse choisir de nouveaux titres parmi un éventail de livres de niveau approprié.

Les lecteurs compétents peuvent choisir n'importe quels albums, revues, romans ou documentaires de la bibliothèque de notre classe. J'ai donné à tous mes élèves un truc pour qu'ils s'assurent du bon niveau du livre qu'ils choisissent. C'est le « truc des cinq doigts » :

« Je lis la première page d'un livre. Je compte sur mes doigts les mots que je ne suis pas capable de lire sur la page. Si je lève les cinq doigts d'une main, je remets le livre sur la tablette. Cela signifie que, à ce moment-ci, il est trop difficile pour que je puisse le lire tout seul. Je le reprendrai plus tard. »

L'organisation

Lorsque j'ai commencé à mettre cette approche en pratique, j'avais peu de livres dans ma classe. J'utilisais alors un système de paniers pour la lecture autonome, de façon à assurer un bon partage des quelques livres mis à la disposition de mon groupe d'élèves. J'avais quatre ou cinq petits paniers (un pour chacun de mes groupes de lecture guidée) identifiés aux noms des enfants. Je collais les noms des élèves à l'aide de velcro pour assurer une certaine flexibilité des groupes. Pendant la période de lecture, les élèves allaient choisir deux ou trois livres dans leur panier, puis ils les rapportaient lorsqu'ils avaient terminé de les lire. Ça fonctionnait très bien, malgré un peu de va-et-vient dans la classe.

Au fil des années, j'ai acheté plus de livres pour ma classe. Je peux donc maintenant m'offrir le luxe d'utiliser des sacs de lecture individualisés pour les apprentis, les débutants et les lecteurs en transition. Les élèves s'installent dans un coin de la classe ou du corridor avec leur sac de livres. Ils n'ont plus besoin de se lever comme avant. Cela rend la période de lecture autonome un peu plus calme.

Pendant la période de lecture autonome, les élèves peuvent s'installer là où ils le veulent, comme ils le veulent. Je mets des petits tapis à leur disposition. Certains préfèrent rester aux tables, d'autres vont s'allonger dans le corridor. C'est correct. Tout le monde se trouve un endroit confortable et tout le monde lit. Tout le monde, sauf moi...

Il y a quelques années, je croyais que je serais un bon modèle pour mes élèves s'ils me voyaient lire en même temps qu'eux pendant la période de lecture autonome. J'apportais donc un roman et je m'installais pour lire, moi aussi. Maintenant, j'ai modifié cette pratique. Je pense que mes élèves n'ont pas vraiment besoin de me voir lire pendant la période de lecture autonome puisque mon amour des livres se manifeste de mille et une façons chaque jour. Je parle de livres avec les élèves, je leur lis des albums, je vais à la bibliothèque leur choisir des livres, je m'intéresse à leurs découvertes littéraires, je les encourage à apporter leurs coups de cœur à l'école, je sors presque le champagne à chaque nouvelle acquisition pour la classe... Les enfants connaissent ma passion pour les livres! Je pense que je n'ai pas vraiment besoin de la modéliser davantage.

La période de lecture autonome est devenue un moment précieux d'échange avec chaque élève sur ses lectures. J'en profite aussi pour évaluer ses compétences à lire (par l'analyse des méprises et l'observation dont je traite au chapitre 10). Je me promène souvent avec un petit carnet pour noter mes observations. Je trouve que mon temps est mieux employé ainsi.

Des moments non organisés de lecture et d'échanges
La présentation de nos coups de cœur

Chaque matin, je consacre de 10 à 15 minutes à des échanges sur nos coups de cœur, les miens et ceux des enfants. Je vais régulièrement à la bibliothèque municipale et j'en reviens les bras chargés de livres. Je prends le temps qu'il faut pour les présenter aux enfants (pas nécessairement tous la même journée!) et ainsi leur donner l'envie de les lire. Ces ouvrages deviennent très prisés!

Tranche de vie

En empruntant les romans *Les mille chats de madame Emma* et *Le secret de madame Emma* de Nathalie Fredette à la bibliothèque de mon quartier, je pensais à Simon-Pierre, un passionné des chats, qui avait déjà lu et relu la série *Solo* de Lucie Bergeron. En présentant ces livres au groupe, je me suis adressée directement à lui:

Moi: En choisissant ce livre à la bibliothèque (Les mille chats de madame Emma), j'ai pensé à toi, Simon-Pierre. C'est un livre qui raconte l'histoire de Camille, une petite fille qui doit se séparer de son chat et qui a le cœur brisé. Toi qui aimes tant les chats... Je pense que ce livre te plaira.

Ce jour-là, je suis tombée en plein dans le mille. Simon-Pierre a lu les deux livres de cette série avec beaucoup de plaisir. Il a même décidé d'écrire une lettre à l'auteure!

Dans ma classe, les enfants aussi présentent les livres qu'ils aiment à leurs camarades. Souvent, les parents acceptent de prêter les livres à la classe. Ce sont des lectures toujours très populaires! Les pairs sont les meilleurs ambassadeurs de livres qui soient. Parfois, certains de mes anciens élèves reviennent même pour présenter leurs nouvelles découvertes.

Tranche de vie

L'an dernier, Maha, alors une élève de 3e année, est venue présenter quelques livres de la Comtesse de Ségur à mes élèves. Certaines de mes lectrices compétentes ont été tellement intéressées par cette présentation que, la semaine suivante, elles apportaient des livres de l'auteure en classe pour les lire.

Les sorties à la bibliothèque

Quand nous allons à la bibliothèque de notre quartier, c'est la fête! Ce sont souvent les enfants des nouveaux arrivants au pays qui expliquent à leurs parents le fonctionnement de nos bibliothèques. J'ai vu des parents venir inscrire leurs enfants à la suite de nos sorties. C'est un service gratuit! Il faut leur en faire profiter!

Chapitre 5 | Les études littéraires

Je fais des études littéraires avec mes élèves pour accroître leur plaisir de lire et leur compréhension des textes, pour enrichir leur culture littéraire et, je l'avoue... pour mon propre bonheur! Lors de ces activités collectives, nous mettons les livres en relation les uns avec les autres (études thématiques) et nous découvrons de nouveaux auteurs (études d'auteurs). Tous mes élèves participent à ces études, peu importe leur stade de lecture. Les discussions qui en découlent sont d'une très grande richesse. J'adore préparer et animer ces activités. Elles font partie de mes moments préférés en classe.

Tranche de vie

Vendredi matin. Ma collègue Kristine entre dans ma classe le sourire aux lèvres:

KRISTINE: Nous avons commencé l'étude sur *Le Petit Chaperon rouge* aujourd'hui. Quel grand bonheur! Mes élèves y ont participé de façon magistrale. De toutes les activités que nous faisons en classe, c'est celle-là que je préfère.

MOI: Tu ne trouves pas cette activité plus enrichissante que de leur faire remplir des pages et des pages de cahiers d'exercices?

KRISTINE: Cent fois plus! Je ressens vraiment le plaisir d'enseigner, Jocelyne.

MOI: Moi aussi.

Les études thématiques

Les études thématiques permettent notamment l'amélioration de la compréhension en favorisant une réflexion sur un aspect particulier du texte. À travers ces études, j'amène mes élèves à comparer la manière dont différents auteurs traitent d'un même thème. J'élabore ainsi chaque étude à partir d'un thème exploité par quelques auteurs. Je prépare un tableau géant qui me servira à consigner les idées des élèves à propos des livres lus en classe. Ainsi, je conserverai l'essentiel de nos discussions.

Les enfants et moi-même nous référons régulièrement à nos études thématiques pour faire des liens avec de nouvelles lectures. La présence des tableaux géants dans la classe indique l'importance que nous accordons à la littérature. Elle signale que mes élèves lisent, discutent de leurs lectures et aiment les livres. Les thèmes que l'on peut exploiter sont multiples. En voici quelques exemples : les différences, l'amitié, la peur, les frères et sœurs dans les histoires, le courage, la famille, l'école, etc.

L'organisation

Au début de chaque année scolaire, je choisis un thème et je sélectionne cinq albums qui exploitent ce thème. Puis, je prépare quelques questions (ou points de réflexion) en relation avec le thème choisi. Je construis ensuite un tableau géant avec deux axes : l'un pour inscrire les titres et les auteurs des livres lus, l'autre pour inscrire les réponses des questions auxquelles nous nous attarderons.

Chaque semaine (j'aime bien consacrer à cette activité une ou deux heures de nos vendredis matin), je lis un des livres reliés au thème choisi. **Je rappelle que l'ensemble des élèves de ma classe (tous niveaux confondus) participe à cette activité.** Pendant la lecture, j'anime une discussion. J'oriente cette discussion vers certains sujets, de façon à bien préparer les élèves au travail qui suivra. Lorsque la lecture est terminée, je présente le tableau géant. Sur ce tableau géant apposé à un mur de la classe, j'inscris en écriture partagée (les élèves dictent et moi j'écris) les réflexions des enfants.

Note

J'ai rencontré aux États-Unis des enseignants qui laissaient les élèves écrire eux-mêmes les informations sur le tableau géant. Je pense que cette façon de faire peut être particulièrement appropriée avec des élèves plus vieux. Par ailleurs, certains croient qu'il n'est pas nécessaire de corriger les fautes d'orthographe. Pour ma part, je préfère que le texte soit corrigé puisque le tableau demeurera affiché toute l'année en guise de référence.

Lorsque l'étude est terminée, après la lecture des cinq livres, je demande aux élèves de choisir le personnage ou le livre qu'ils ont préféré. Ils le représentent par un dessin et collent celui-ci sur la dernière colonne de l'affiche. Ils peuvent également décorer le tableau géant à l'aide de dessins inspirés des histoires lues.

Je vous présente ici trois études thématiques que nous avons réalisées au cours des dernières années. Ces études suscitent des discussions très riches de la part des élèves. Elles les amènent à réfléchir sur les liens qui existent entre les livres. Il est à noter que, jusqu'à maintenant, je ne propose qu'une seule activité de ce type par année. C'est une question de temps! Mes élèves participent à tant d'autres projets qu'à ce jour je n'ai eu d'autre choix que de me limiter à une seule étude thématique par an.

Je suis différent. Je suis différente.

Pour ce thème, j'ai choisi cinq livres qui mettent en scène un personnage ayant une particularité qui le rend différent des autres. Les livres que j'ai sélectionnés sont les suivants :

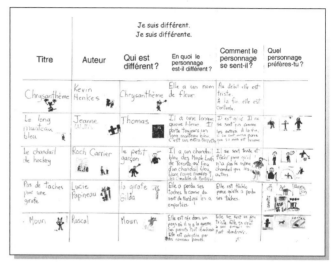

L'étude littéraire « Je suis différent. Je suis différente. »

- *Chrysanthème* de Kevin Henkes (collection « Folio Benjamin », Éditions Gallimard) ;
- *Le long manteau bleu* de Jeanne Willis (Éditions Gallimard) ;
- *Le chandail de hockey* de Roch Carrier (Livres Toundra) ;
- *Pas de taches pour une girafe* de Lucie Papineau (Éditions Dominique et compagnie) ;
- *Moun* de Rascal (Éditions l'école des loisirs).

J'ai écrit les questions qui suivent sur le tableau géant :

- Qui est différent ?
- En quoi le personnage est-il différent ?
- Comment le personnage se sent-il ?
- Quel personnage préfères-tu ? (Je ne pose cette question qu'à la toute fin de l'étude, après la lecture des cinq ouvrages.)

Pendant la lecture de chacun de ces livres, j'anime une discussion qui prépare les enfants à l'activité d'écriture partagée qui suivra. Voici un aperçu de mes questions :

- Qu'est-ce qui rend ce personnage différent des autres ?
- Je me demande pourquoi il agit de la sorte.
- Je me demande comment il se sent.
- Comment vous sentiriez-vous à sa place ?

Lorsque j'ai expérimenté cette activité avec mes élèves, j'ai remarqué que les discussions portaient naturellement sur les différences entre les personnes. Elles s'alimentent pratiquement d'elles-mêmes et permettent l'exploitation d'un volet du *Programme de formation de l'école québécoise* lié à l'acquisition des compétences d'ordre personnel et social des enfants.

Au fur et à mesure de l'étude, les élèves peuvent comparer les personnages d'un livre à l'autre. Chaque personnage principal des cinq livres a sa propre

Tableau 5.1 | Je suis différent. Je suis différente.

Titre	Auteur	Qui est différent ?	En quoi le personnage est-il différent ?	Comment le personnage se sent-il ?	Quel personnage préfères-tu ?
Chrysanthème	Kevin Henkes	Chrysanthème	Elle a un nom de fleur.	Au début, elle est triste. À la fin, elle est contente.	
Le long manteau bleu	Jeanne Willis	Thomas	Il a une longue queue bleue. Il porte toujours un long manteau bleu. C'est un extraterrestre.	Il est gêné. Il ne se sent pas comme les autres. À la fin, il se sent mieux parce que sa mère est revenue.	
Le chandail de hockey	Roch Carrier	le petit garçon	Il a un chandail bleu des Maple Leafs de Toronto au lieu d'un chandail bleu, blanc et rouge, numéro 9, des Canadiens de Montréal.	Il se sent triste et fâché parce qu'il n'a pas le même chandail que les autres.	
Pas de taches pour une girafe	Lucie Papineau	la girafe Gilda	Elle a perdu ses taches à cause du vent du Nord qui les a emportées.	Elle est fâchée parce qu'elle a perdu ses taches.	
Moun	Rascal	Moun	Elle est née dans un pays où il y a la guerre. Ses parents l'ont abandonnée. Elle est adoptée par de nouveaux parents.	Elle se sent un peu triste. Elle en veut à ses parents qui l'ont abandonnée.	

L'étude littéraire « J'ai des amis »

différence et l'accepte plus ou moins facilement. Il est intéressant de comparer les points de vue des auteurs à ce sujet.

Le tableau 5.1 représente le tableau géant résultant de cette étude. Les mots qui y sont inscrits sont ceux des élèves de ma classe.

J'ai des amis

Pour le thème de l'amitié, j'ai choisi des histoires où deux personnages se rencontrent et deviennent amis. Voici les livres que j'ai sélectionnés :

- *Mademoiselle Lune* de Marie-Louise Gay (Éditions Héritage) ;
- *Aïe, aïe, aïe !* de Colin McNaughton (Éditions Gallimard) ;
- *Ami ! Ami ?* de Chris Raschka (Éditions La Joie de lire) ;

- *César et Isidore* de Dieter Wiesmüller (Éditions Bayard jeunesse) ;
- *Émile et Lucette* de Christel Desmoineaux (Éditions l'école des loisirs).

Les questions inscrites sur mon tableau géant sont les suivantes :

- Qui sont amis dans l'histoire ?
- Comment sont-ils devenus amis ?
- Avec quel personnage aimerais-tu être ami ? (Je pose cette question à la fin de l'étude.)

Voici un aperçu des questions que je pose pendant la lecture de chacun des livres pour cette étude :

- Je me demande si (nom de l'un des personnages du livre) va se faire un ami…
- Je me demande si ces deux-là vont demeurer des amis…
- N'est-ce pas une drôle de façon de rencontrer quelqu'un ?
- Je me demande pourquoi il a partagé son repas au lieu de le garder pour lui tout seul…

J'encourage ainsi les commentaires des élèves sur les relations d'amitié entre les personnages des livres et sur leurs expériences personnelles en lien avec le thème.

Le tableau 5.2 représente le tableau géant rempli par les élèves de ma classe.

Tableau 5.2 | J'ai des amis

Titre	Auteur	Qui sont amis dans l'histoire ?	Comment sont-ils devenus amis ?	Avec quel personnage aimerais-tu être ami ?
Mademoiselle Lune	Marie-Louise Gay	Mademoiselle Lune et Monsieur le Soleil	Quand Monsieur le Soleil est né, Mademoiselle Lune l'a aidé à sortir de sa coquille.	
Aïe, aïe, aïe !	Colin McNaughton	Rosalie (Rose) et Samson	Pendant leurs vacances à la plage, Samson et Rose se sont frappés l'un contre l'autre. Samson avait mal au nez, alors Rose lui a donné un bisou pour le soigner.	
Ami ! Ami ?	Chris Raschka	Deux garçons	Ils se rencontrent et commencent à discuter. L'un des garçons dit à l'autre qu'il n'a pas d'ami, et l'autre propose d'être son ami.	
César et Isidore	Dieter Wiesmüller	César et Isidore	Isidore est venu visiter le pays de César. César lui a fait visiter son pays. Puis, César a découvert le pays d'Isidore grâce à ce dernier.	
Émile et Lucette	Christel Desmoineaux	Émile et Lucette	Alors qu'il a le choix de garder son poisson pour lui tout seul, Émile le partage avec Lucette.	

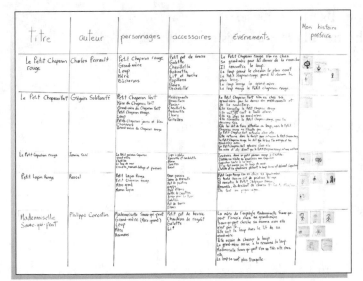

L'étude littéraire « Le Petit Chaperon rouge et compagnie »

Le Petit Chaperon rouge et compagnie

Cette activité est fascinante pour la comparaison entre les différentes adaptations du *Petit Chaperon rouge* et l'œuvre de Charles Perrault. La version de Perrault se termine très mal pour la fillette. La morale de son histoire est claire : il vaut mieux ne pas parler aux étrangers. Par ailleurs, tous les auteurs que nous avons lus sur ce thème ont allégé la fin de l'histoire. Les enfants sont toujours très étonnés de constater que, dans son œuvre originale, Perrault n'épargne pas le Petit Chaperon rouge.

Le tableau géant est divisé en six sections :

■ titre ;

■ auteur ;

■ personnages ;

■ accessoires ;

■ événements ;

■ mon histoire préférée (parmi les cinq qui seront lues).

Il existe beaucoup de livres que vous pouvez choisir pour explorer ce thème. Voici ceux que je préfère :

■ *Le Petit Chaperon rouge* de Charles Perrault (conte classique) ;
■ *Le Petit Chaperon vert* de Grégoire Solotareff (Éditions l'école des loisirs) ;
■ *Le Petit Capuchon rouge* de Jasmine Dubé (collection « Raton Laveur », Éditions Banjo) ;
■ *Petit Lapin rouge* de Rascal (Éditions l'école des loisirs) ;
■ *Mademoiselle Sauve-qui-peut* de Philippe Corentin (Éditions l'école des loisirs).

Après la lecture de l'histoire de Perrault, j'amène les enfants à comparer les différentes adaptations avec celle-ci. En fait, la discussion s'anime d'elle-même pendant les lectures. Les enfants comparent naturellement les différentes histoires à celle de Perrault :

Symphorien : Le poisson s'appelle « Le Petit Capuchon rouge ». Ça ressemble au Petit Chaperon rouge !

Frshta : Ah ! Dans cette histoire, ce n'est pas le loup qui fait peur à la fillette ! C'est la fillette qui fait peur au loup !

Voici à quoi ressemble le tableau rempli par mes élèves :

Les études littéraires

Tableau 5.3 | *Le Petit Chaperon rouge* et compagnie

Titre	Auteur	Personnages	Accessoires	Événements	Mon histoire préférée
Le Petit Chaperon rouge	Charles Perrault	Petit Chaperon rouge Grand-mère Loup Mère Bûcherons	Petit pot de beurre Galette Chevillette Bobinette Lit et huche Papillons Fleurs Déshabillé	Le Petit Chaperon rouge s'en va chez sa grand-mère pour lui donner de la nourriture. Il rencontre le loup. Le loup prend le chemin le plus court. Le Petit Chaperon rouge prend le chemin le plus long. Le loup mange la grand-mère. Le loup mange le Petit Chaperon rouge.	
Le Petit Chaperon vert	Grégoire Solotareff	Petit Chaperon vert Mère du Petit Chaperon vert Grand-mère du Petit Chaperon vert Petit Chaperon rouge Loup Petits Chaperons jaune et bleu Chasseurs Grand-mère du Petit Chaperon rouge	Médicaments Nourriture Panier Chevillette Bobinette Fleurs Girolles	Le Petit Chaperon vert s'en va chez sa grand-mère pour lui donner des médicaments et de la nourriture. Elle rencontre le Petit Chaperon rouge. Elle voit le loup qui court à toute allure. Elle va chez sa grand-mère. Elle rencontre le Petit Chaperon rouge pour la deuxième fois. Elle lui dit de faire attention au loup, mais le Petit Chaperon rouge ne l'écoute pas. Le Petit Chaperon vert retourne chez elle. Elle retourne dans la forêt pour retrouver le Petit Chaperon rouge. Le Petit Chaperon rouge lui dit que le loup les a mangées, elle et sa grand-mère. Le Petit Chaperon vert retourne chez elle. Sa mère et elle disent que le Petit Chaperon rouge est une menteuse.	
Le Petit Capuchon rouge	Jasmine Dubé	Petit poisson Capuchon Grand-mère Clotilde Loup de mer Crevette, homard, béluga et poissons	Ligne à pêche Épuisette et cordelette Panier Galettes Bocal	Grand-mère donne un petit poisson rouge à Clotilde. Clotilde va visiter sa grand-mère avec Capuchon. Capuchon saute à la mer. Il se fait manger par le loup de mer. Clotilde et sa grand-mère pêchent le loup de mer et délivrent Capuchon.	

Tableau 5.3 | *Le Petit Chaperon rouge* et compagnie (*suite*)

Titre	Auteur	Personnages	Accessoires	Événements	Mon histoire préférée
Petit Lapin rouge	Rascal	Petit Lapin rouge Petit Chaperon rouge Mère-Grand Maman-Lapin	Deux paniers Savon de Marseille Pot de peinture Nappe Pain d'épice Botte de carottes Sirop pour la toux Galettes Pot de beurre Fleurs	Petit Lapin rouge s'en va chez sa grand-mère. Il tombe dans un pot de peinture rouge. Il rencontre le Petit Chaperon rouge. Ensemble, ils décident de changer la fin de l'histoire. Ils font un pique-nique.	
Mademoiselle Sauve-qui-peut	Philippe Corentin	Mademoiselle Sauve-qui-peut Grand-mère Loup Mère Animaux	Petit pot de beurre Chaudron de ragoût Galette Lit	La mère de l'espiègle Mademoiselle Sauve-qui-peut l'envoie chez sa grand-mère. Sauve-qui-peut cherche sa mamie, mais elle n'est pas là. Elle voit le loup dans le lit de sa grand-mère. Elle essaie de chasser le loup. La grand-mère arrive à la rescousse du loup. Mademoiselle Sauve-qui-peut s'en va très vite chez elle. Le loup se sent plus tranquille.	

J'adore ce temps consacré aux études littéraires. C'est vraiment l'un de mes moments préférés en classe.

Les études d'auteurs

Tout comme les études thématiques, les études d'auteurs permettent aux élèves d'accroître leur plaisir de lire et leur compréhension des textes et d'enrichir leur culture littéraire. De plus, ces études font découvrir de nouveaux auteurs aux enfants (ils deviennent rapidement nos idoles!), et elles les sensibilisent à ce qui rend un auteur unique, ce qui fait qu'on le trouve bon, qu'on l'aime. Les élèves constatent que les auteurs sont des personnes bien vivantes et souvent très accessibles. Ils apprennent ce qui inspire leurs idoles, comment elles travaillent et qui elles sont au quotidien. Les études d'auteurs aident ainsi les enfants à devenir eux-mêmes de meilleurs auteurs. Un autre moment magique à notre horaire.

L'organisation

Je choisis un auteur par année. Il s'agit nécessairement d'un auteur que j'aime. Je note d'abord quelques faits intéressants concernant sa biographie. Les sites Web des éditeurs et la quatrième de couverture de certains ouvrages de l'auteur représentent une bonne source d'information à cet égard. Puis, je lis ses livres pour me familiariser avec son œuvre. Parmi ceux-ci, j'en sélectionne quelques-uns qui feront l'objet d'une étude plus approfondie en classe. Ainsi, je prépare une activité de prolongement pour chacun des livres désignés. Je dois spécifier que les activités de prolongement ne sont pas des feuilles d'exercices ou de questions. Ce sont plutôt des activités qui permettent l'approfondissement des lectures. Certaines activités dirigent parfois l'attention des enfants vers des connaissances liées à la phrase ou vers les mots choisis par l'auteur. Voici des exemples de ce type d'activité :

- relever les mots utilisés pour la description du personnage principal de l'histoire ;

- tenter de prédire la fin de l'histoire et la comparer ensuite avec la fin de l'auteur ;

- écrire une suite à l'histoire ;

- écrire une nouvelle histoire (ou un extrait du livre) à la manière de l'auteur ;

- établir les liens existants entre les différents personnages de l'histoire (cartes sémantiques) ;

- trouver les différentes parties du schéma du récit (le début, le problème, la solution et la fin) ;

- dresser une liste des mots préférés des enfants ;

- monter une pièce de théâtre à partir d'une histoire de l'auteur ;

- écrire un texte sur un thème exploité (exemple : un jour où un enfant a désobéi à ses parents) ;

- écrire une histoire impliquant un enfant et un animal en respectant la structure du récit ; en faire un grand livre-cassette ;

- choisir un animal décrit dans l'histoire et faire une recherche sur lui ;

- illustrer une partie préférée de l'histoire ;

- analyser comment l'auteur utilise la ponctuation dans un texte ;

- écrire à l'auteur au sujet d'un livre préféré ;

- inviter un auteur et préparer des questions.

L'étude s'échelonne sur plusieurs semaines. Comme pour les études thématiques, je consacre généralement une ou deux heures de mes vendredis matin à l'étude d'un auteur, jusqu'à ce que nous ayons « fait le tour de son jardin » ou parcouru l'ensemble de son œuvre. Parfois, j'intègre l'étude à notre planification quotidienne.

J'identifie un panier au nom de l'auteur étudié et j'y mets plusieurs de ses livres. J'y dépose des albums, des livres de type « premières lectures » et « premiers romans », et des romans. Je m'assure ainsi que chacun de mes élèves y trouve des livres adaptés à son niveau d'habileté en lecture et puisse participer de façon autonome à l'étude.

Lors des périodes consacrées à l'étude d'un auteur, je présente d'abord sa biographie. Puis, nous lisons ses livres. La plupart du temps, c'est moi qui lis les livres au groupe. Quand cela est possible, ce sont les enfants qui les lisent. Pendant la lecture des livres sélectionnés, j'anime une discussion axée particulièrement sur les aspects du livre que je souhaite travailler ensuite avec les élèves. Ainsi, je facilite aux jeunes la réalisation de l'activité de prolongement qui suivra la lecture des livres. Il est à noter que certains livres ne seront lus que pour le plaisir, sans que leur lecture ne soit nécessairement suivie d'une activité.

Lorsque l'auteur étudié habite à proximité, je l'invite à venir nous rencontrer à la fin de l'année scolaire. Ces rencontres sont toujours très festives. Les enfants se réjouissent de faire la connaissance de celui dont les mots et les histoires ont fait partie du quotidien pendant plusieurs semaines. Ils préparent allègrement beaucoup de questions pour l'auteur. Ils sont toujours très impressionnés de voir leur idole en chair et en os.

Au cours des dernières années, mes études ont porté sur les auteurs suivants : Gilles Tibo, Bruno St-Aubin, Rascal et Jasmine Dubé. Je vous suggère ci-après quelques activités que j'ai expérimentées en classe avec mes élèves au sujet de trois d'entre eux.

L'étude sur Gilles Tibo

Lorsque j'entreprends le projet d'étude, je présente d'abord l'auteur aux enfants. Je montre sa photo. Je parle de sa vie et de ses réalisations. Puis, je commence les activités.

Un exemple d'activité sur *Les mots du Petit Bonhomme*

Ce livre explique joliment à quoi servent les mots. À nommer des choses qui existent et qui n'existent pas. À définir des choses infiniment petites ou des choses immenses. À vivre des aventures. À exprimer des sentiments... Les mots blessent parfois. Ils peuvent aussi donner de l'espoir. Ils sentent bon ou mauvais. Ils nous réchauffent ou nous refroidissent. Les mots, on les retrouve partout.

Le déroulement

Pendant plusieurs jours, je lis quotidiennement quelques pages du livre aux élèves. Nous discutons de l'utilité des mots. Puis, je fais suivre certains chapitres d'une activité au cours de laquelle les enfants dressent une liste de mots liés au thème de ce chapitre (voir l'annexe D-1). J'ai choisi 11 thèmes présentés dans *Les mots du Petit Bonhomme* :

Gilles Tibo

La notice biographique

Gilles Tibo est né en 1951 à Nicolet (Québec). Il est auteur et illustrateur. Il vit à Montréal. Lorsqu'il était enfant, il était plutôt rêveur. Ses matières préférées étaient l'écriture (la composition) et les arts plastiques. Il a commencé sa carrière comme illustrateur d'affiches pour le théâtre, de pochettes de disques, de pages couvertures de romans et de revues. Il a également illustré des bandes dessinées.

Tibo s'est fait connaître par la série *Simon* qu'il a écrite et illustrée. Il est un auteur très prolifique. À ce jour, il a publié plus d'une centaine de titres.

Il est très discipliné. Il écrit plusieurs livres en même temps. Il écrit un peu partout, surtout à la maison, mais également dans les cafés, les restaurants, les bibliothèques... Son plat préféré est la lasagne.

La bibliographie sélective

Les albums

Autour de la lune, 30 contes pour mieux rêver (Éditions Dominique et compagnie, 2002)

Autour du soleil (Éditions Dominique et compagnie, 2004)

Émilie pleine de jouets (Éditions Dominique et compagnie, 2003)

Le dodo des animaux (Éditions Héritage, 1996)

L'enfant cow-boy (Éditions Toundra, 2000)

Le grand voyage de Monsieur (Éditions Dominique et compagnie, 2001)

Les bobos des animaux (Éditions Dominique et compagnie, 1997)

Les mots du Petit Bonhomme (Éditions Québec Amérique jeunesse, 2002)

Les yeux noirs (Éditions Nord-Sud, 2005)

Rouge Timide (Éditions Nord-Sud, 2002)

Simon fête le printemps (Éditions Toundra, 1990) et toute la série des *Simon*

Les premières lectures

Alex et la belle Sarah (collection « À pas de loup », Éditions Dominique et compagnie, 2001) et toute la série des *Alex*

Le club des dents perdues (collection « Rat de bibliothèque », ERPI, 2001)

Max et Tom (collection « Rat de bibliothèque », ERPI, 2002)

Turlu Tutu et Fanfan l'éléphant (collection « À pas de loup », Éditions Dominique et compagnie, 2003)

Les premiers romans

Choupette et maman Lili (collection « Roman rouge », Éditions Dominique et compagnie, 1998) et toute la série des *Choupette*

La série des *Petit géant* (collection « Mini-Bilbo », Éditions Québec Amérique)

La bataille des mots (collection « Ma petite vache a mal aux pattes », Soulières éditeur, 2004)

Les romans

Noémie 1 : Le Secret de Madame Lumbago (collection « Bilbo », Éditions Québec Amérique, 1996) et quinze autres numéros de cette série

- Des expressions pour nommer... (p. 13) ;
- Tout petit, tout petit (p. 17) ;
- Les mots du temps (p. 19) ;
- Les mots détestés (p. 20) ;
- Les mots des sentiments (p. 24) ;
- Les mots catastrophes (p. 26) ;
- Les mots d'amour (p. 28) ;
- Mes mots préférés (p. 32) ;
- Les mots de ma vie (p. 34) ;
- Les mots qui me font rire (p. 36) ;
- Les mots qui me font pleurer (p. 36).

Un calligramme est un dessin formé par un texte.

Un acrostiche est formé de mots que l'on peut écrire à partir des premières lettres du prénom de l'élève.

Chaque élève se construit ainsi un petit lexique personnel auquel il pourra se référer lors de rédactions futures. Pour compléter le tout, les enfants préparent une page couverture intitulée « Les mots de (nom de l'élève) ». Je leur suggère d'écrire leur nom sous forme de calligramme ou d'acrostiche.

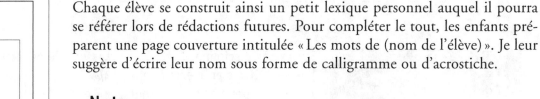

Note

Lorsque nous avons réalisé cette activité, notre projet scientifique portait sur la Lune. Au chapitre des expressions, nous en avons donc profité pour dresser une liste d'expressions utilisées pour nommer la Lune. Il peut être approprié de bâtir une telle liste en fonction de vos propres projets.

Un exemple d'activité sur *Simon fête le printemps*

Simon tente par tous les moyens de précipiter l'arrivée du printemps. Mais il lui faudra attendre patiemment...

Le déroulement

Je lis le livre. Nous discutons des signes annonciateurs du printemps. S'inspirant du livre, les élèves dessinent ensuite un ou plusieurs signes de la belle saison. Chaque enfant présente ensuite son dessin au groupe.

Le même type d'activité pourrait être fait à partir des livres *Simon et le soleil d'été*, *Simon et le vent d'automne* et *Simon et les flocons de neige* puisque ces trois ouvrages s'inspirent des trois autres saisons. Nous pourrions coller les dessins sur quatre grandes affiches pour illustrer chacune des saisons.

Un exemple d'activité sur *Autour de la Lune, 30 contes pour mieux rêver*

L'auteur a écrit 30 petits contes sur le thème de la Lune. Très tendre. Très poétique. Très beau.

Le déroulement

Cette activité a été réalisée parallèlement à une recherche scientifique sur la Lune (voir le chapitre 9).

Chaque jour pendant 30 jours, je lis un conte de ce livre. Nous le décortiquons, l'analysons, le comprenons. En parallèle à la lecture du livre de Tibo, je présente des poèmes ou des comptines sur le thème de la Lune. Puis, les élèves rédigent un poème sur ce thème. Ils tapent le texte à l'ordinateur et l'illustrent au cours d'arts plastiques. Nous créons ainsi un recueil de tous les poèmes sous forme de grand livre. Le grand livre sera ensuite déposé au coin lecture.

Un poème de Gabriel

Un exemple d'activité sur *Le grand voyage de Monsieur*

Monsieur est triste. Il a perdu son enfant. Il erre. Puis, il rencontre un petit garçon qui est seul lui aussi. Ensemble, ils partent main dans la main. Court. Dense. Magnifique.

Le déroulement

Je lis le livre. Nous discutons des sentiments de Monsieur et de l'enfant, de la mort, de la tristesse, de la solitude et de la relation qui se tisse entre les deux personnages. Puis, sur un grand carton, nous dessinons la carte sémantique de cette relation. Pour ce, je pose quelques questions aux élèves :

■ Qui sont les personnages de l'histoire ?

■ Comment pourrait-on décrire Monsieur ?

■ Comment pourrait-on décrire l'enfant ?

■ Comment est Monsieur avec l'enfant ?

■ Comment se sent l'enfant avec Monsieur ?

Voici la carte sémantique que mes élèves ont construite au fur et à mesure des questions posées :

Monsieur		L'enfant
• triste	• se sent mieux avec lui	• abandonné
• malheureux	• se sent réconforté	• triste
• seul	• n'a plus de chagrin	• malheureux
• découragé	• devient son fils	• peiné
• peiné	←	• orphelin
	→	
	• gentil avec lui	
	• s'occupe de lui	
	• devient son papa	

Important

Dans le contexte d'une étude littéraire ou de l'étude d'un auteur, il m'apparaît important, lorsque je lis un livre aux enfants, d'orienter leurs discussions par des questions ou des commentaires que j'ai préparés. Quand cette préparation est bien faite, il est beaucoup plus facile pour les élèves de réaliser ensuite l'activité de prolongement.

Bruno St-Aubin

La notice biographique

Bruno St-Aubin est illustrateur et auteur. Il est né en 1962. Enfant, il était très timide. À l'école, il était plutôt indiscipliné. Il n'aimait pas la catéchèse ni l'éducation physique. Il préférait les arts plastiques. Aujourd'hui, il aime faire du ski de fond et du canot. Il dessine ses propres enfants dans les livres qu'il écrit. Et... il adore les fettuccines à la sauce rosée !

La bibliographie sélective

Les premières lectures (texte et illustrations)

Papa est un dinosaure (collection « À pas de loup », Éditions Dominique et compagnie, 1999)

Drôle de cauchemar (collection « À pas de loup », Éditions Dominique et compagnie, 2000)

Papa est un castor bricoleur (collection « À pas de loup », Éditions Dominique et compagnie, 2001)

Papa est un extraterrestre (collection « À pas de loup », Éditions Dominique et compagnie, 2004)

Papa est un fantôme (collection « À pas de loup », Éditions Dominique et compagnie, 2005)

Les premières lectures (illustrations)

La boisson des champions de Danielle Simard (collection « Rat de bibliothèque », ERPI, 2002)

Les bêtises des enfants de Louise Tondreau-Levert (collection « À pas de loup », Éditions Dominique et compagnie, 2003)

Les albums (illustrations)

Yayaho, le croqueur de mots de Geneviève Lemieux (collection « Raton Laveur », Éditions Banjo, 1999)

Rira bien... de Michel St-Denis (collection « Raton Laveur », Éditions Banjo, 1997)

Une grenouille au château de Marie-Nicole Marchand (collection « Raton Laveur », Éditions Banjo, 1999)

Tout pour plaire à mon nouveau papa de Luc Durocher (collection « Raton Laveur », Éditions Banjo, 2001)

Tout pour plaire à ma maman de Luc Durocher (collection « Raton Laveur », Éditions Banjo, 2004)

Cours, cours, Nicolas ! de Gilles Tibo (Éditions Scholastic, 2006)

Grouille-toi Nicolas de Gilles Tibo (Éditions Scholastic, 2004)

Des livres pour Nicolas de Gilles Tibo (Éditions Scholastic, 2003)

L'étude sur Bruno St-Aubin

Les livres de type « premières lectures » écrits par Bruno St-Aubin sont aimés par tous mes élèves. Je me rappelle entre autres de Vincent qui s'est littéralement jeté sur l'œuvre de St-Aubin et qui a lu et relu tous ses titres avec grand plaisir. Quel bonheur ! Les textes amusants et les illustrations folles et extravagantes de l'auteur-illustrateur plaisent beaucoup aux garçons.

Un exemple d'activité sur *Drôle de cauchemar*

Un petit garçon qui a peur du noir réussit à apprivoiser le monstre de ses cauchemars.

Le déroulement

Je lis le livre ou, si je dispose de plusieurs copies, les élèves le lisent eux-mêmes. Puis nous discutons de nos cauchemars et de nos peurs. J'alimente la discussion par quelques questions :

- As-tu peur dans le noir ?
- Est-ce qu'il t'arrive de faire des cauchemars ?
- Quels sont-ils ?
- Y vois-tu des monstres ?

À la suite de la discussion, je demande aux élèves de répondre par écrit à la question suivante : « Qu'est-ce que cette histoire te rappelle ? » (Voir l'annexe D-2.)

Note

Au départ, j'avais pensé demander aux élèves de raconter un de leurs cauchemars, mais je sais que certains élèves auraient affirmé ne jamais faire de cauchemar. Plus la question est ouverte, plus on évite ce genre de problème. La question « Qu'est-ce que cette histoire te rappelle ? » offre plusieurs pistes d'exploitation aux élèves. La plupart des enfants raconteront un mauvais rêve, mais certains seront davantage inspirés par l'élément de peur et écriront un texte qui portera sur un événement au cours duquel ils ont eu particulièrement peur.

Pour clore l'activité, quelques élèves lisent leur texte à la classe. Nous comparons ainsi nos cauchemars et nos peurs.

Un exemple d'activité sur *Papa est un dinosaure*

Papa se déplace comme un dinosaure. Il mange beaucoup et ronfle comme un dinosaure. Papa (l'auteur lui-même ?) est un dinosaure fort sympathique.

Le déroulement

Je lis le livre aux élèves ou, si je dispose de plusieurs copies, les élèves le lisent eux-mêmes. Comme il y a plusieurs situations très amusantes dans ce livre, je demande ensuite à chaque enfant d'écrire ce qu'il a trouvé le plus drôle dans l'histoire (voir l'annexe D-3). Puis nous partageons nos impressions.

Un exemple d'activité sur *Papa est un castor bricoleur*

Dans cette histoire, papa est un « rafistoleur », un castor qui répare tout... mais qui se frappe parfois sur les doigts devant ses enfants qui l'observent et rigolent.

Le déroulement

Il s'agit d'une activité collective qui permet de discuter du choix des mots par un auteur. Je demande aux élèves de trouver les mots originaux que l'auteur a utilisés dans son texte. Nous en dressons une liste (voir l'annexe D-4). Au fur et à mesure, nous discutons de la signification de chaque mot relevé. Je fais remarquer aux enfants que l'auteur aurait pu choisir des mots ordinaires, mais il a préféré utiliser à l'occasion des mots plus recherchés, plus nuancés et justes. La liste de mots ainsi créée peut faire partie d'un lexique individuel auquel chaque enfant pourrait se référer lors de situations d'écriture ultérieures.

Voici la liste des mots originaux que mes élèves ont relevés et la signification qu'ils ont donnée à chacun :

- bricole : travaille ;
- commode : utile ;
- rafistole : répare ;
- babiole : chose ;
- dévore (des revues) : lit beaucoup ;
- rénovation : construction et décoration ;
- rayon : domaine ;
- doué : bon ;
- désherber : enlever les mauvaises herbes ;
- se réfugie : va dans un petit coin tranquille.

La préparation de questions destinées à l'auteur

Bruno St-Aubin est venu nous rendre visite à l'école. Notre étude étant alors terminée, mes élèves ont pu préparer quelques questions en vue de cette rencontre. L'homme s'est révélé être d'une immense générosité. Ce moment passé en sa compagnie était un véritable cadeau pour les enfants. La cerise sur le gâteau, quoi !

Une présentation de l'étude sur Rascal par Emy et Simon-Pierre

L'étude sur Rascal

Faire une étude sur Rascal, c'est d'abord me faire plaisir à moi. J'adore cet auteur. J'aime les thèmes profonds qu'il aborde (le racisme, la guerre, la solitude, l'amour, l'amitié...) et la poésie qui se dégage de ses textes. Des phrases percutantes. Des mots qui touchent. Je lis toujours moi-même les livres de Rascal aux enfants parce qu'ils nécessitent certains éclaircissements. Le texte est si riche ! J'encourage les discussions pendant la lecture pour m'assurer d'une bonne compréhension des histoires.

Un exemple d'activité sur *Côté cœur*

C'est une belle histoire d'amitié entre un petit garçon et une petite fille. Une histoire où l'amour triomphe du racisme, de l'abandon et de la bêtise.

Le déroulement

Dans cette histoire, François et Anissa s'amusent à chercher dans le dictionnaire des mots «fleurs» (des mots qui sentent bon tels qu'*adagio, étoile, fontaine, joie,* etc.) et des mots «caca-de-chien» (des mots qui puent tels qu'*aveulir, Chinetoque, gale, génocide, haine,* etc.).

Rascal

La notice biographique

Rascal est né le 24 juin 1959, en Belgique. Enfant, il détestait l'école. Il préférait faire l'école buissonnière. Il est autodidacte. Avant de se consacrer aux livres pour enfants, il a travaillé dans la publicité, a réalisé des affiches pour le théâtre et a fait plusieurs autres métiers. Il est auteur et illustrateur, mais ce sont le plus souvent d'autres que lui qui illustrent ses textes. Il vit dans la campagne belge. Il est le père de quatre garçons et d'une fille.

La bibliographie sélective

Les albums

C'est un papa... (Éditions l'école des loisirs, 2005)

Ami-ami (Éditions l'école des loisirs, 2002)

Côté cœur (Éditions l'école des loisirs, 2000)

Olivia à Paris (Éditions l'école des loisirs, 1996)

Prunelle (Éditions l'école des loisirs, 1996)

Moun (Éditions l'école des loisirs, 1995)

Petit Lapin rouge (Éditions l'école des loisirs, 1994)

Cassandre (Éditions l'école des loisirs, 1993)

Socrate (Éditions l'école des loisirs, 1992)

Illustrations seulement (album sans texte)

Le Petit Chaperon rouge (Éditions l'école des loisirs, 2002)

Je demande d'abord aux enfants de relever les mots « fleurs » et les mots « caca-de-chien » de Rascal. Ensuite, ils doivent dresser une nouvelle liste en choisissant eux-mêmes des mots qui sentent bon et d'autres qui puent (voir l'annexe D-5). Nous faisons cette activité collectivement. J'écris sur une affiche les mots que les élèves me dictent.

Un exemple d'activité sur *Prunelle*

Pour ses huit ans, Jean-Sans-Peur reçoit une petite chatte en cadeau. À partir de ce jour, Prunelle et Jean-Sans-Peur deviennent inséparables. Un jour, la chatte s'enfuit et le garçon reste inconsolable. Jusqu'au jour où...

Le déroulement

Je lis l'histoire jusqu'aux lignes suivantes : « Les vacances passèrent, différentes des précédentes. Août touchait à sa fin. Au retour du premier jour d'école... » Je m'arrête ici. Je laisse le reste de la phrase en suspens. J'invite les élèves à imaginer et à écrire la fin de l'histoire (voir l'annexe D-6). Puis, nous comparons leurs fins avec celle de l'auteur.

Un exemple d'activité sur *Olivia à Paris*

Olivia est une poule qui a pour mission d'aller vendre les œufs de ses comparses à Paris. Arrivée à destination, elle se laisse séduire par les charmes de la Ville lumière et, du coup, elle en oublie complètement les œufs.

C'est une très jolie histoire. Marrante. Les illustrations d'Isabelle Chatellard complètent merveilleusement bien le texte de Rascal. Elles nous font connaître les lieux importants de Paris et nous dévoilent une Olivia très colorée, ravie de découvrir Paris.

Le déroulement

Pendant la lecture, nous nous attardons aux endroits de Paris qu'Olivia visite. Je les montre et les décris. Puis, les enfants sont invités à associer les images des endroits et des monuments parisiens à des descriptions écrites (voir l'annexe D-7).

Ensuite, je leur demande de se mettre dans la peau d'Olivia et d'imaginer la carte postale qu'elle pourrait envoyer à l'une de ses copines (voir l'annexe D-8). J'explique donc ce qu'est une carte postale (photo de la ville d'un côté, texte très court de l'autre).

Une fois l'activité terminée, nous regroupons toutes les cartes postales dans une reliure à anneaux que je dépose au coin lecture. Les enfants peuvent ainsi les relire maintes et maintes fois.

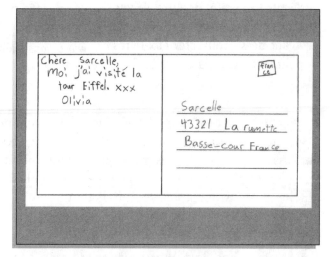

Une carte postale d'une scripteure débutante

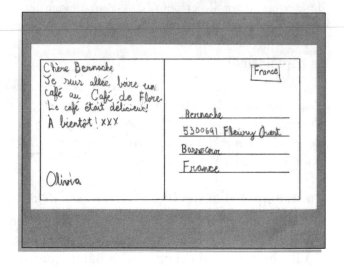

Une carte postale d'une scripteure compétente

Les études littéraires

Un exemple d'activité sur *C'est un papa...*

Papa Ours a quitté sa famille pour un nouvel amour. Depuis dix mois, il vit seul. Aujourd'hui, il attend ses enfants, impatient et anxieux.

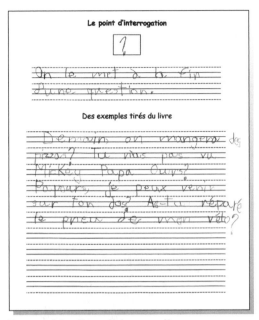

Un exemple d'une fiche remplie

Le déroulement

En lisant ce livre, j'ai remarqué que l'auteur utilisait abondamment les signes de ponctuation courants. J'ai pensé qu'il pourrait être intéressant d'attirer l'attention des élèves sur ces signes pour leur enseigner leur utilité.

Cette activité est réalisée collectivement. Sur une fiche, l'enfant trace d'abord le signe de ponctuation dans un cadre (voir l'annexe D-9). Ensuite, nous écrivons à quoi sert ce signe. Puis, nous repérons dans le livre des exemples de phrases qui mettent en évidence l'utilité du signe de ponctuation étudié.

Les signes de ponctuation présentés sont les suivants :

- la virgule (sépare les mots d'une énumération) ;
- le point d'interrogation ;
- le point d'exclamation ;
- les guillemets (indiquent que quelqu'un parle).

Un exemple d'activité sur *Socrate*

Socrate est un chiot orphelin qui erre dans les rues de la ville. Un jour, il trouve des lunettes qu'il met sur son museau. Il commence alors à voir la vie en couleurs. Puis, il rencontre le propriétaire des lunettes, un accordéoniste musicien de la rue. L'homme lui apprendra qu'il n'a pas besoin de lunettes pour être heureux.

Le déroulement

L'élève doit décrire son animal préféré en au moins cinq phrases (voir l'annexe D-10).

La lettre à Rascal

À la suite de cette étude, nous avons écrit une lettre collective à l'auteur de façon interactive (voir le chapitre 8). Rascal a répondu à notre lettre du fond de sa campagne belge. Les enfants étaient fous de joie !

> Jeudi, le 12 mai 2005
> Cher Rascal,
> Dans la classe, nous avons fait un projet sur vous. Nous avons lu beaucoup de vos livres.
> Dans Prunelle, nous avons aimé quand Jean-Sans-Peur a retrouvé sa chatte. Nous avons découvert la ville de Paris avec Olivia. On a été gêné quand François et Anissa se sont embrassés sur le toit dans Côté cœur. Dans C'est un papa, nous avons adoré quand Papa Ours a revu ses enfants. De tous les livres que nous avons lus, c'est Socrate que nous avons préféré. Merci d'avoir écrit de si beaux livres.
> Les élèves de la classe de Jocelyne

La rédaction de la lettre s'est faite de manière interactive.

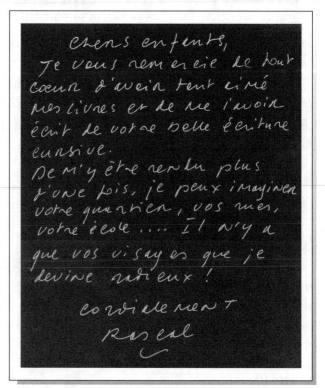

> Jeudi, le 12 mai 2005
> Cher Rascal,
> Dans la classe, nous avons fait un projet sur vous. Nous avons lu beaucoup de vos livres.
> Dans Prunelle, nous avons aimé quand Jean-Sans-Peur a retrouvé sa chatte. Nous avons découvert la ville de Paris avec Olivia. On a été gêné quand François et Anissa se sont embrassés sur le toit dans Côté cœur. Dans C'est un papa, nous avons adoré quand Papa Ours a revu ses enfants. De tous les livres que nous avons lus, c'est Socrate que nous avons préféré. Merci d'avoir écrit de si beaux livres.
> Les élèves de la classe de Jocelyne

La lettre recopiée au propre par un élève

> Chers enfants,
> Je vous remercie de tout cœur d'avoir tant aimé mes livres et de me l'avoir écrit de votre belle écriture cursive.
> De m'y être rendu plus d'une fois, je peux imaginer votre quartier, vos rues, votre école... Il n'y a que vos visages que je devine radieux !
> cordialement
> Rascal

La réponse de Rascal

Partie **2**

L'écriture

Du temps où je travaillais avec les manuels scolaires, mes élèves n'écrivaient pas souvent. Bien sûr, ils écrivaient dans les cahiers d'exercices, mais les situations d'écriture complètes et signifiantes pour des destinataires réels se faisaient plutôt rares. Pourtant, nous le savons maintenant, écriture et lecture vont de pair. L'apprentissage de la lecture favorise l'apprentissage de l'écriture, et vice-versa. L'un ne va pas sans l'autre. Sachant cela, j'accorde maintenant une plus grande importance à l'enseignement de l'écriture. J'y consacre même une période complète par jour. Je commence souvent la période par une leçon ou par une modélisation d'un point que je veux enseigner. Par la suite, les élèves participent à l'une ou l'autre des activités suivantes :

- écriture partagée ;
- écriture interactive ;
- écriture guidée ;
- écriture autonome.

En écriture comme en lecture, nous ne pouvons nous attendre à ce que tous les élèves progressent au même rythme. C'est donc dans le respect des différences que j'encourage l'écriture provisoire et personnelle dont il sera question au chapitre suivant.

Chapitre **6** | L'écriture provisoire et personnelle

J'ai toujours été soucieuse de la qualité de la langue écrite. Il y a quelques années, j'exigeais de mes élèves de première année qu'ils rédigent des textes sans faute. Au début de chaque situation d'écriture, je dressais au tableau une liste des mots qu'ils me dictaient. Cela me prenait un temps fou! Le tableau était rempli de mots que je numérotais. Les enfants avaient du mal à repérer ceux qu'ils souhaitaient utiliser. Ils finissaient donc par s'impatienter et par écrire des phrases sans saveur, mais sans faute, à l'aide des mots affichés. Leurs phrases ressemblaient à *Le chien noir joue avec le ballon* ou à *J'aime ma maman et mon papa.* Ils croyaient ainsi satisfaire parfaitement à mes exigences.

À cette époque, j'avais l'impression que mes élèves n'apprendraient à écrire que si je leur fournissais tous les mots dont ils avaient besoin. Je pensais qu'ils ne possédaient pas suffisamment de connaissances pour pouvoir écrire seuls et que, en recopiant les mots que j'écrivais au tableau, ils apprendraient immédiatement à les écrire sans faute. Je m'attendais ainsi à ce que mes scripteurs apprentis utilisent sur-le-champ l'orthographe conventionnelle. J'avais peur qu'en procédant autrement ils ne prennent de mauvais plis. Je crois maintenant que c'était une erreur. Dans ce contexte, mes élèves recopiaient des mots sans égard à leur structure. Et la plupart du temps, quand venait le moment de partager leurs écrits avec le reste de la classe, ils n'arrivaient pas à se relire.

Je ne savais pas alors que l'enfant doit traverser plusieurs étapes avant d'en arriver à l'écriture conventionnelle. Je ne savais pas non plus que l'écriture provisoire et personnelle mérite d'être encouragée puisqu'elle contribue à l'apprentissage de l'écriture et de la lecture. C'est ce que la recherche démontre : « la conception ancienne, selon laquelle l'enfant doit savoir lire avant de pouvoir apprendre à écrire, a été réfutée par des études qui ont montré que la lecture et l'écriture s'acquièrent simultanément chez l'enfant et que l'écriture provisoire, avec ses tentatives d'orthographe inventée, fait partie du développement de l'écriture » (Saint-Laurent, 2002, p. 224). De plus, il semble que le développement orthographique de l'élève par l'écriture provisoire et personnelle influence sa capacité à lire les mots.

Les étapes du développement orthographique

J'encourage l'écriture provisoire et personnelle dès les premières journées d'école, c'est-à-dire que je laisse les élèves écrire les mots nouveaux au mieux de leurs connaissances (pas « au son », mais plutôt au mieux de ce qu'ils savent sur les mots). Par exemple, un scripteur débutant pourra écrire le mot *déguisement* de la façon suivante : *dégizman*. Mais un scripteur plus expérimenté saura qu'il faut mettre un *u* entre le *g* et le *i* pour faire le son du *g* dur. Il saura également qu'il faut un *e* pour compléter la troisième syllabe du mot et il mettra un *s* entre les deux voyelles pour faire le son « zzz ». Sa plus grande connaissance de la langue écrite l'amènera à se soucier également de l'aspect visuel du mot et à se rappeler que beaucoup de mots se terminent par *-ment*. J'ai pu observer cette progression chez mes élèves. Elle est fascinante.

À l'aide de l'écriture provisoire et personnelle, les enfants peuvent exploiter dès le départ des idées originales et signifiantes, et imposer rapidement leur propre voix d'auteur. Ils ne sont plus limités à un choix restreint de mots et peuvent ainsi utiliser des mots précis pour traduire leur pensée.

J'exige toutefois des élèves qu'ils recopient correctement les mots courants qui sont affichés au mur de la classe (voir « Les mots courants » au chapitre 2). Comme ces mots sont fréquemment utilisés dans les textes, il importe que les élèves apprennent tôt à les écrire correctement. Leur classement par ordre alphabétique en facilite le repérage.

Encore une fois, comme en lecture, la vitesse de progression en écriture varie d'un élève à l'autre. Tout le monde n'arrive pas en première année avec le même bagage. Et même si parfois certains scripteurs sautent une étape du développement orthographique ou demeurent plus longtemps à l'une d'entre elles, ils passent généralement par cinq étapes au cours de leur apprentissage.

L'écriture provisoire et personnelle

Tableau 6.1 | Les étapes du développement orthographique du scripteur

Étape précommunicative	L'enfant trace au hasard des lettres et d'autres symboles qui ressemblent à des lettres (exemple : *NLR* pour signifier *chien*). Il ne connaît pas encore la correspondance entre les sons et les lettres. Il peut entremêler les lettres minuscules et les majuscules. Il est le seul à pouvoir lire son texte.
Étape semi-phonétique	L'enfant commence à comprendre la correspondance entre les sons et les lettres. Il utilise une ou deux lettres pour représenter chaque mot. Par exemple, le mot *j'ai* peut être représenté par la lettre *G*, le mot *aime*, par la lettre *M* et le mot *cour*, par les lettres *CR*. L'élève ajoute parfois des lettres au hasard pour que le mot soit visuellement de la bonne longueur.
Étape phonétique	L'enfant représente tous les sons d'un mot par une ou plusieurs lettres en fonction de ce qu'il entend. Par exemple, il écrira *klas* pour le mot *classe*. Il utilisera généralement le nom des lettres pour trouver les sons qu'il cherche à écrire.
Étape transitoire	L'enfant commence à mieux comprendre la structure des mots. Même s'il manque de consistance, il accorde maintenant de l'importance à la représentation visuelle d'un mot et plus uniquement à la représentation des sons qu'il entend. Chaque syllabe qu'il écrit contient des voyelles. Les lettres muettes sont parfois représentées. Les mots courants sont généralement écrits correctement.
Étape conventionnelle	Tous les mots courants sont écrits correctement. L'orthographe des autres mots est presque parfaite. L'élève accorde beaucoup d'importance à l'aspect visuel des mots et reconnaît les irrégularités. Il connaît assez bien les exceptions à la règle et se sert adéquatement des préfixes, des suffixes, des mots de même famille et des règles de base pour écrire les mots.

Source : adapté de Nadon (2002) et Rhodes et Shanklin (1993).

Lorsque j'ai commencé à entendre parler d'écriture provisoire et personnelle à l'Arizona State University, j'étais plutôt réticente à l'idée d'encourager mes élèves à écrire seuls les mots nouveaux. J'avais du mal à croire qu'ils amélioreraient ainsi leur compétence à écrire. J'avais peur qu'ils n'arrivent jamais à franchir l'étape phonétique. Il a fallu de nombreuses heures de lecture, de réflexion et de discussion avec mes professeurs pour que j'accepte de tenter l'expérience. Ils semblaient tous si convaincus de la nécessité d'encourager l'écriture provisoire et personnelle !

De retour au Québec, malgré une petite peur persistante, je me suis lancée. Je me disais qu'il serait toujours temps de faire marche arrière. J'ai fait preuve de contrôle en observant les pages blanches des premiers jours et les premières lettres écrites au hasard. Ma patience a porté ses fruits.

Au mois de novembre, après trois mois d'école, je suis entrée en coup de vent dans la classe de ma collègue Georgie qui, elle aussi, avait décidé d'encourager l'écriture provisoire et personnelle :

MOI : Vois-tu ce que je vois, Georgie ? Vois-tu la richesse des textes de nos élèves et leurs progrès fulgurants en lecture et en écriture ?

GEORGIE : Oui ! Je vois ! Je vois ! C'est fantastique ! Regarde ce que Ludwige a écrit aujourd'hui dans son journal…

Depuis ce jour, nous n'avons cessé de nous échanger les textes de nos élèves, béates d'admiration devant les progrès constants de nos jeunes auteurs.

Je comprends maintenant que mes leçons en lecture et en écriture font leur petit bonhomme de chemin. Au fil du temps, grâce à des leçons bien ciblées et à la pratique régulière de la lecture et de l'écriture, les textes des élèves s'organisent et leur orthographe se raffine. Dans ce contexte, les enfants apprennent et progressent.

Note

Au cours des années, j'ai remarqué que les élèves qui n'ont pas bien acquis la conscience phonologique (voir le chapitre 1) et ceux qui sont très perfectionnistes ont du mal à tenter une écriture provisoire et personnelle des mots. Ils préfèrent construire des phrases à l'aide de mots courants qu'ils recopient du mur de mots et s'assurer ainsi de l'orthographe conventionnelle des mots.

Sans les forcer, j'essaie de les amener doucement à sortir des sentiers battus, à explorer davantage et à trouver leur voix d'auteur. Les connaissances qu'ils acquièrent en conscience phonologique et en lecture leur permettent de se sentir progressivement plus en contrôle et les stimulent généralement à composer des textes plus personnels et plus audacieux.

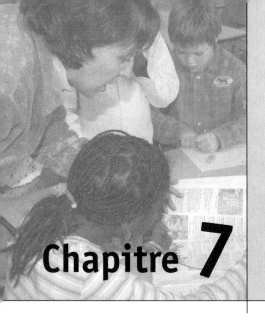

Chapitre **7** | Les leçons et la modélisation

Au chapitre de l'écriture comme de la lecture, il y a ma vie d'avant et ma vie d'après. Avant, toutes mes leçons d'écriture étaient destinées au groupe entier, tous niveaux d'habileté confondus. Je planifiais mes leçons dans un ordre précis en fonction du manuel scolaire que j'utilisais en classe. Je savais pratiquement à quelle date durant l'année j'allais aborder telle ou telle notion avec mes élèves. Je ne me souviens pas avoir enseigné de façon claire où un auteur trouve ses idées (j'imposais presque toujours un même sujet à tous). Je ne me rappelle pas avoir traité de l'importance de bien choisir les mots et de rédiger des textes personnels. Accordais-je vraiment de l'importance à la variété des structures de phrases et à la fluidité des textes ? Au surplus, je pense que les écrits de mes élèves n'avaient que très rarement des destinataires bien réels.

Je ne modélisais pas non plus ce à quoi je m'attendais des enfants. Je m'en tenais à des leçons magistrales sur la majuscule et le point ou sur le pluriel des mots. Jamais je ne démontrais ce qu'un auteur expert fait : comment il aborde la page blanche, comment il organise ses idées... J'aurais pourtant pu être un excellent modèle pour mes élèves !

J'ai rectifié mon tir. Maintenant, mes leçons sont ciblées. Elles ne sont plus préparées des semaines à l'avance. J'observe quotidiennement les écrits de mes élèves et je prends bonne note des difficultés éprouvées. Je me sers des erreurs relevées pour préparer des leçons adaptées à leurs besoins. Ces leçons peuvent s'adresser à un petit groupe d'élèves ou au groupe entier. Cela dépend de mes observations.

Je modélise également ce que j'enseigne. Ce n'est pas tout de dire aux élèves ce qu'il faut faire pour devenir un bon auteur. Il faut également le démontrer concrètement. À cet égard, la modélisation est primordiale. Ma façon d'enseigner l'écriture à mes élèves a donc beaucoup changé.

Les leçons aux scripteurs apprentis et aux scripteurs débutants

Je cible les leçons d'écriture en fonction des besoins de mes élèves. Ces leçons s'adressent soit à un groupe d'individus ayant les mêmes besoins, soit au groupe classe. Avec mes scripteurs apprentis et mes débutants, j'aborde d'abord les connaissances de base :

- le choix d'un sujet ;
- l'écriture d'une phrase ;
- l'orientation de l'écriture ;
- la séparation des mots par des espaces ;
- la délimitation de la phrase par la majuscule et le point ;
- le repérage d'un mot courant dans la classe ;
- l'écriture d'un mot nouveau.

Le choix d'un sujet

Avec les scripteurs apprentis, je favorise d'abord l'écriture d'un journal personnel. Les élèves peuvent ainsi choisir un sujet qui les touche, ce qui leur donne le goût d'écrire. Dès le début de l'année, j'amène donc les enfants à dresser une liste de sujets d'écriture tirés de leur quotidien. Nous nous référons régulièrement à cette liste. Voici des exemples de sujets choisis par mes élèves :

- mes amis ;
- ma famille ;
- mon animal de compagnie ;
- mes sports préférés ;
- une sortie avec le service de garde ;
- une sortie en famille ;
- un événement à l'école ;
- une fête ;
- mon anniversaire ;
- un voyage ;
- une lecture que j'ai aimée ;
- un film que j'ai vu ;
- mes vacances.

L'écriture d'une phrase

J'introduis d'abord le concept de phrase à l'oral. J'apporte en classe des illustrations rigolotes où un personnage fait une action clairement identifiable. Le dessin doit être explicite. Il doit faciliter la composition d'une phrase oralement. J'explique qu'une phrase est comme une toute petite histoire qui parle de quelqu'un ou de quelque chose. À partir de chacune des illustrations, je dis une phrase et je demande aux élèves d'en inventer d'autres. À ce stade-ci, tout se passe à l'oral.

Lors d'une leçon subséquente, je modélise l'écriture de phrases pendant la rédaction de mon propre journal. Après avoir choisi le sujet de ma rédaction, je dis quelle sera la première phrase de mon texte, et je l'écris. Je continue ainsi à expliquer à haute voix comment je pense à chaque phrase et comment je fais pour l'écrire. Au début, je fais le travail toute seule. Au fil du temps, ce sont les élèves qui me suggèrent des phrases.

L'orientation de l'écriture

Pour enseigner l'orientation de l'écriture, je la modélise tout simplement. J'utilise généralement le rétroprojecteur et je dis ce que je fais tout en le faisant : « Lorsque j'écris ma phrase, je pars de la gauche et je vais vers la droite. Lorsque j'arrive au bout de la ligne, je descends sur la ligne du dessous et je repars de la gauche. Je vais de gauche à droite et de haut en bas, comme lorsqu'on lit. »

La plupart des élèves savent cela, mais certains ne le savent pas. Je dois m'assurer que ce concept est connu de tous.

La séparation des mots par des espaces

Avant d'enseigner à séparer les mots, j'enseigne d'abord le concept de mot. J'explique que les phrases sont construites avec des mots. Puis, je donne un exemple. Je choisis des mots monosyllabiques à l'oral pour qu'ils soient facilement reconnaissables. Je dis une courte phrase telle que : « Line mange. » J'explique aux enfants que, dans ma phrase, il y a deux mots. J'écris la phrase au tableau en laissant un grand espace entre les mots et j'encercle chacun des deux mots pour que les élèves puissent les distinguer clairement. J'explique que je laisse toujours un espace entre les mots pour bien les séparer. Et je poursuis la leçon : « Voici une autre phrase : "Louis parle." Combien y a-t-il de mots dans ma phrase ? »

J'écris la phrase au tableau et nous en discutons. Je propose ainsi plusieurs phrases de différentes longueurs. Nous trouvons et comparons le nombre de mots dans chacune d'elles. Au fur et à mesure de l'activité, j'attire l'attention des enfants sur le fait que les phrases ne contiennent pas toutes le même nombre de mots. Certaines sont courtes, d'autres sont plus longues. Je souligne ce qu'il est important de retenir : « Lorsque j'écris, je dois séparer les mots par des espaces. » Je démontre que, pour laisser des espaces égaux entre les mots, je peux utiliser mon doigt.

Voici d'autres exemples de phrases simples que j'utilise pour cette leçon :

- France boit.
- Anne court vite.
- Paul chante fort.
- Rose voit un chien.
- Marc lit.
- Jeanne aime lire.
- Luc aime bien lire un livre.

Lors d'une leçon subséquente, j'explique que les mots ne sont pas tous de la même longueur. Je donne quelques exemples. Je distribue ensuite une dizaine de jetons à chaque enfant. Un élève dit une phrase et nous plaçons un jeton sur la table pour chaque mot de la phrase. Je fais simultanément la même chose sur le rétroprojecteur. Nous écrivons la phrase ensemble et nous nous assurons que le nombre de mots correspond bien au nombre de jetons.

Je refais régulièrement cette activité avec les élèves qui ne séparent pas leurs mots aux bons endroits lorsqu'ils écrivent. Ils comptent oralement le nombre de mots dans une phrase, placent le nombre de jetons correspondants sur la table devant eux et écrivent ensuite la phrase en respectant le nombre de mots, donc de jetons comptés préalablement.

La délimitation de la phrase par la majuscule et le point

Je modélise la délimitation de la phrase en rédigeant mon journal personnel sur un transparent. En écrivant chaque phrase, j'explique à haute voix : « Au début de ma phrase, je dois mettre une lettre majuscule et, à la fin, je mets un point. Entre la majuscule et le point, je n'écrirai que des lettres minuscules. »

Je rédige ainsi mon texte en insistant sur la délimitation de chacune des phrases.

Le repérage d'un mot courant dans la classe

Les élèves doivent prendre l'habitude de repérer les mots courants qui sont affichés dans la classe pour les écrire correctement. Ce sont des mots qu'ils utiliseront fréquemment puisqu'ils constituent environ 50 % des textes en français. Il importe donc qu'ils apprennent rapidement à bien les orthographier. Les mots courants sont classés par ordre alphabétique sur le mur de mots (voir le chapitre 2). Une leçon portant sur le repérage peut se faire lors de la modélisation de mon journal. Voici une discussion type entre mes élèves et moi concernant un mot affiché que je dois écrire :

MOI :   Je veux écrire le mot *bien*. Où pourrais-je trouver ce mot dans la classe ?

DÉREK :   Sur le mur de mots.

MOI :   Sous quelle lettre vais-je le trouver ?

KONSTANTIN : Sous la lettre *b*.

MOI :   Comment le sais-tu ?

KONSTANTIN : Parce que le mot *bien* commence par un *b*.

MOI :   Tu as raison. Le mot *bien* commence par un *b* : « bbbbbien ». Peux-tu le trouver et me dire les lettres du mot, Konstantin ?

KONSTANTIN : *b, i, e, n.*

MOI :   Bravo ! Tous les mots qui sont affichés doivent être écrits correctement. Ce sont des mots que vous utiliserez très souvent pour écrire. Lorsque vous voulez écrire un mot qui est affiché, il faut le chercher en utilisant sa première lettre.

L'écriture d'un mot nouveau

Je montre aux élèves comment écrire un mot nouveau en étirant les sons. Je peux le faire pendant l'écriture de mon journal. Voici un exemple de leçon avec des scripteurs débutants :

MOI : Je veux écrire le mot *cheval*. Combien y a-t-il de syllabes dans le mot *cheval* ?

YASMINE : Il y en a deux : *che* et *val*.

MOI : Pour écrire le mot *cheval*, je dois écrire chaque son de chaque syllabe. Je commence par la première syllabe : « chchcheee ». Quels sont les deux sons que j'entends ?

INÈS : « chchch » et « e-e-e ».

MOI : Comment écrit-on le son « chchch » ?

INÈS : *ch*.

MOI : Peux-tu nous montrer la carte de ce son dans la classe ?

Inès montre la carte affichée. Je fais le geste correspondant au son : je mets mon index sur ma bouche.

MOI : « chchch ». Faites le son avec moi.

TOUS (LE DOIGT SUR LA BOUCHE) : « chchch ».

J'écris *ch*.

MOI : Que manque-t-il à ma syllabe pour faire « cheeee » ?

TOUS : Un *e* !

J'écris le *e*.

MOI : Très bien. Nous avons écrit *che*, il manque *val* pour faire *cheval*. Je vais étirer les sons pour bien les entendre : « vvvaaalll ». Quel est le premier son de cette syllabe ?

THOMAS : « vvv ».

MOI : Comment écrit-on ce son ?

THOMAS : Avec la lettre *v*.

MOI : Très bien. [J'écris le *v*.] On continue : « vvaaaall ». Quel est le deuxième son qu'on entend ?

TAREK : « aaa » ! Ça s'écrit avec un *a* !

MOI : Magnifique ! [J'écris le *a*.] Il reste le dernier son : « vvaallll ».

CARMEN : « lll » ! C'est un *l* !

MOI : Oui ! Le son « lll » s'écrit avec la lettre *l*. [J'écris la lettre.] Voilà. C'est le mot *cheval*. Lorsque je veux écrire un mot nouveau, j'étire les sons que j'entends dans le mot et j'écris les lettres pour chaque son que j'entends.

Un jeu pour s'exercer à écrire des mots nouveaux

Régulièrement, pendant quelques minutes au cours de la journée, mes élèves participent à un petit jeu pour s'exercer à écrire des mots nouveaux. Un élève choisit un objet dans la classe. Il dit le mot en robot (il le sépare en phonèmes). Un camarade doit trouver de quel objet il s'agit. Ensuite, un autre écrit le mot au tableau. Voici un exemple :

THOMAS :   « chchch...èèè...zzz ».

SYMPHORIEN : *Chaise !*

Je demande à Carmen d'écrire le mot au tableau. Elle écrit *chèze*.

C'est une occasion extraordinaire de questionner les élèves sur chacun des graphèmes du mot. Je leur demande :

■ Est-ce que Carmen a écrit tous les sons du mot ?

■ Est-ce que le son « chchch » est écrit correctement ?

■ Est-ce que c'est la bonne façon d'écrire le son « èèè »? Quelles sont les autres façons d'écrire ce son ? Laquelle, croyez-vous, serait la plus appropriée ici ?

■ Est-ce que Carmen a mis la bonne lettre pour faire le son « zzz »? Quelle lettre serait plus appropriée dans le mot *chaise*? Pourquoi ?

■ A-t-elle eu raison de mettre un *e* à la fin du mot ?

C'est une petite activité amusante et extrêmement utile à tous. Comme pour les activités de conscience phonologique, j'utilise un ballon en mousse ou un ourson en peluche qu'on se lance pour donner le droit de parole. Mes experts excellent à ce jeu. Ils se soucient de l'aspect visuel des mots et pas seulement des sons. Vraiment intéressant.

L'enseignement des six traits d'écriture

Lorsque les connaissances de base sont assez bien apprises, je passe à un niveau supérieur d'enseignement. Mes leçons couvrent alors systématiquement les six traits d'écriture suivants :

■ les idées ;

■ l'organisation du texte ;

■ l'expression (ou la voix) ;

■ le choix des mots ;

■ la structure des phrases ;

■ les conventions linguistiques (l'orthographe et la calligraphie).

Un bon auteur maîtrise généralement ces six traits. C'est pourquoi il m'apparaît nécessaire d'aborder chacun d'eux de façon spécifique avec mes élèves. J'observe donc attentivement les textes des enfants pour y discerner des besoins précis. Je donne ainsi plusieurs courtes leçons dédiées à chaque trait, en fonction des difficultés relevées dans les compositions que je lis.

J'enseigne chacun de ces traits à tous mes élèves, mais j'approfondis un peu plus mes leçons pour les experts. Il est bien entendu que je ne peux pas m'attendre à autant d'un élève du premier cycle que d'élèves de niveaux supérieurs. Avec des élèves plus vieux, je pousserais certainement l'enseignement des six traits d'écriture beaucoup plus loin. Mais je pense qu'il est tout de même très utile de sensibiliser les jeunes auteurs à chacun de ces traits.

Les idées

L'idée représente le cœur du message. Est-ce que mon idée principale est originale et claire? Est-ce que le sujet traité est bien délimité? Est-ce que les détails sont intéressants?

La précision de l'idée principale

Pour enseigner l'importance de bien préciser l'idée principale, j'utilise généralement des textes d'élèves ou j'en crée moi-même. J'explique d'abord aux élèves ce que l'on entend par «idée principale» et je les amène ensuite à trouver les forces et les faiblesses des textes choisis à l'égard des idées. Ce texte a-t-il une idée principale claire? Quelle est-elle? L'auteur aurait-il pu donner priorité à une seule idée? Nous en discutons.

Une toile d'idées

Pour faciliter la rédaction d'un texte, j'enseigne comment faire une toile d'idées (voir l'annexe E-1). Les élèves sont invités à pratiquer cette démarche. Ils déterminent un sujet et une idée principale liée à ce sujet. Ils choisissent quelques idées secondaires et rédigent ensuite un texte à partir de leur toile. Toutes les idées ne sont pas nécessairement utilisées. L'élève choisit celles qui lui semblent les plus intéressantes.

L'enrichissement du texte

Pour enrichir un texte de détails intéressants, nous pouvons utiliser le questionnement. À l'aide du texte d'un élève reproduit en plusieurs copies, ou tout simplement après la lecture de ce texte, je demande aux enfants de questionner l'auteur pour l'aider à enrichir son texte: «Qu'aurions-nous voulu savoir de plus à ce sujet?» Nous dressons une liste de questions et amenons l'enfant à déterminer les détails pertinents qui manquent à son texte, et à éliminer le superflu.

L'organisation du texte

L'organisation d'un texte se manifeste en quelque sorte par sa structure, par son squelette. Est-ce que mon début est accrocheur? Est-ce que ma fin est appropriée? Est-ce que mon développement est fluide et facile à suivre? Est-ce que mon titre est original?

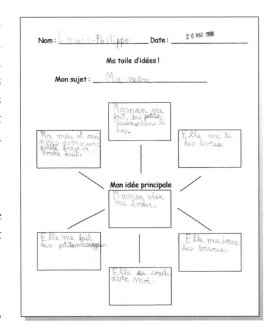

Voici une toile d'idées de Louis-Philippe ainsi que le texte créé à partir de cette toile.

Un début accrocheur et une fin appropriée

Pour montrer ce qu'est un début accrocheur et une fin appropriée, je trouve des exemples dans la littérature appréciée des enfants et j'amène ces derniers à expliquer comment chaque auteur nous donne le goût de lire son texte par un début accrocheur et une fin appropriée. Les élèves comparent des textes entre eux et analysent avec mon aide leurs impacts respectifs sur le lecteur. Ensuite, ils s'exercent à trouver eux-mêmes des débuts intéressants et des fins adéquates à leurs propres compositions.

L'ordre des idées

On peut démontrer l'importance de l'ordre des idées à l'aide d'un texte dont on inverse certaines parties. Pour comprendre l'histoire, les élèves doivent remettre ces parties dans l'ordre. J'observe régulièrement des textes d'élèves qui posent problème à cet égard et qui peuvent d'ailleurs être utilisés pour ce type d'exercice.

Le choix d'un bon titre

Pour le choix d'un titre, je lis un court article tiré d'une revue jeunesse ou un petit album, dont j'aurai pris soin de camoufler le titre, et je demande aux élèves d'en deviner le titre. Je dresse une liste des titres proposés par les enfants et nous les comparons ensuite à celui choisi par l'auteur. Les élèves doivent savoir qu'un bon titre titille notre curiosité et nous donne le goût de lire un texte.

L'expression

L'expression (ou la voix), c'est la touche personnelle de l'auteur. C'est sa voix derrière ses mots. Lorsqu'ils écrivent, les élèves doivent se poser les questions suivantes : « Est-ce que je me soucie pleinement du destinataire ? Est-ce que le ton que j'utilise est approprié à mon intention d'écriture ? Est-ce que j'exprime une variété d'émotions à l'intérieur de mon texte ? Est-ce que j'y exprime également un point de vue clair ? »

Le destinataire

L'élève doit toujours savoir pour qui il écrit. Son texte n'aura pas le même ton s'il correspond avec un camarade, s'il écrit une lettre de remerciement qui s'adresse à un adulte ou s'il rédige simplement son journal personnel. En leçon, j'amène donc les enfants à reconnaître les différentes voix en fonction des différents destinataires possibles. Exemples :

- une lettre à un correspondant ;
- une lettre à un auteur ;
- un mot de remerciement à la suite d'une sortie ;
- un journal ;
- un rapport de recherche destiné aux élèves de l'école.

L'intention

Mon intention est-elle de… faire rire le lecteur ? le faire pleurer ? lui faire peur ? l'informer ? le divertir ? l'inviter ? le remercier ? Mon texte doit respecter cette intention. À partir de livres d'auteurs connus, j'amène les élèves à trouver la correspondance entre la voix de chaque auteur et son intention d'écriture. Pour un contraste frappant, je peux d'abord lire (ou faire lire) des extraits d'un livre documentaire, avec une intention d'informer. Pour comparer, nous lisons ensuite des extraits d'une histoire (par exemple un album de Robert Munsch) avec une intention de faire rire. Plus tard, j'amènerai les élèves à discuter entre eux de la voix qui se dégage de leurs propres textes.

Un texte vivant

Un texte doit être vivant. Lorsque j'écris, je dois y mettre une certaine énergie qui démontrera mon intérêt pour le sujet choisi et qui donnera le goût au lecteur ciblé de me lire. En leçon, j'amène donc les élèves à comparer l'énergie qui se dégage de différents textes portant sur un même sujet. Je peux également solliciter leur participation à l'amélioration du texte d'un élève de la classe, ou faire l'éloge d'un texte que je trouve particulièrement vivant.

Le choix des mots

Le choix des mots réfère à l'utilisation adéquate du langage. Est-ce que j'utilise correctement les mots courants ? Est-ce que j'emploie également des mots originaux et précis ? Est-ce que j'évite les répétitions et les clichés ?

Je lis un album aux enfants et nous discutons des mots choisis par l'auteur. Par exemple, dans le livre *Chrysanthème* de Kevin Henkes, lorsque le personnage se sent soudainement très triste, l'auteur écrit : « Chrysanthème se fana. » J'amène les élèves à comprendre ce choix de mots et à en percevoir la richesse. La littérature jeunesse regorge d'exemples de ce type, lesquels peuvent être étudiés en classe. Dans son livre *Il était une fois Grattelle au bois mordant*, Jasmine Dubé écrit : « L'atmosphère était chargée de nuages noirs, une pluie torrentielle déferlait et des éclairs zébraient le ciel, suivis de terribles coups de tonnerre. » Lorsque je leur lis cet extrait, je dis toujours aux enfants que l'auteure aurait pu tout simplement écrire qu'« il pleuvait très fort », mais elle a choisi des mots cent fois plus percutants.

Je travaille également à partir de textes d'élèves recopiés sur du papier grand format ou sur un transparent. Par mes questions, j'invite les pairs à commenter le choix des mots de l'auteur :

- Quel mot plus précis aurait-il pu choisir ?

- Par quel verbe plus fort pourrions-nous remplacer ce mot ?

- Y a-t-il des répétitions inutiles dans son texte ?

- Quels autres conseils pourrions-nous lui donner ?

La structure des phrases

Ce trait correspond au rythme du texte. Est-ce que la structure des phrases est correcte ? Est-ce que les débuts de phrases sont logiques et variés ? Est-ce que les phrases sont de différentes longueurs ? Est-ce que le texte est rythmé ?

L'ordre des mots

J'explique aux élèves l'importance de bien structurer les phrases pour être compris. À l'aide d'exemples concrets, je démontre aux élèves pourquoi les mots de chaque phrase doivent être en ordre.

Des débuts de phrases variés

À partir d'un texte que j'ai rédigé à l'avance sur un transparent, j'invite les élèves à modifier les débuts de phrases qui se répètent. Je leur explique qu'il faut varier les débuts de phrases pour éviter la monotonie.

Le rythme

J'aborde la notion de rythme par la modélisation. À l'aide du rétroprojecteur, je démontre concrètement aux élèves comment varier la longueur des phrases pour assurer une certaine cadence dans un texte. J'écris des phrases de différentes longueurs. J'utilise les signes de ponctuation appropriés. J'invite les élèves à participer à la rédaction de mon texte.

Les conventions linguistiques

Ce trait couvre autant l'orthographe que la présentation générale du texte. Est-ce que les mots sont orthographiés correctement ? Est-ce qu'ils sont bien accordés (en genre et en nombre) ? Est-ce que j'utilise correctement la majuscule et le point ? Est-ce que mon texte est lisible (calligraphie) ?

Pour enseigner ce trait, je prépare des leçons bien ciblées sur l'utilisation de la majuscule et du point, sur l'accord en genre et en nombre, sur la calligraphie, etc. De plus, les élèves doivent apprendre à utiliser des stratégies de correction. C'est l'une des étapes du processus d'écriture décrites au point suivant.

Le processus d'écriture

Lorsque je sens que mes élèves sont prêts à apprendre une démarche de correction (généralement vers le mois de janvier pour les scripteurs débutants), je leur présente chacune des étapes du processus d'écriture :

- la rédaction d'une ébauche ;
- la révision du contenu ;
- la correction ;
- la diffusion (ou la publication).

L'engagement de mes élèves dans ce processus suppose qu'ils souhaitent publier un texte en particulier et qu'ils ont un objectif précis, par exemple : envoyer une lettre à un correspondant ou à un auteur, préparer une affiche faisant la promotion d'un livre, publier un conte ou un poème qui sera déposé au coin lecture, présenter un rapport de recherche, etc. Comme ils ne publient pas tous les textes qu'ils rédigent, il n'est pas nécessaire pour eux de passer par ces étapes chaque fois qu'ils écrivent. Ils ne le feront que dans la mesure où ils souhaiteront publier un texte qui sera lu par des destinataires réels.

La rédaction d'une ébauche

On doit rédiger l'ébauche avec le souci de développer correctement une bonne idée (ce peut être à partir d'un plan préétabli) en fonction d'un destinataire réel. L'ébauche est un document de travail, un premier jet. J'explique aux élèves qu'ils doivent rédiger leur ébauche sur un seul côté de chaque feuille, de façon qu'ils puissent en découper des parties et réorganiser adéquatement leur texte lorsqu'ils arriveront à l'étape de la révision du contenu.

La révision du contenu

Après la rédaction de l'ébauche, l'élève ne vient pas me voir tout de suite. Il doit relire son texte. Ensuite, il le montre à un camarade de la classe. Le camarade lui fait part de ses commentaires, qui visent à améliorer le contenu du texte (les commentaires sont liés aux six traits d'écriture). Rien n'empêche le camarade de relever et de corriger les fautes d'orthographe en même temps.

À la suite de la relecture et de la consultation, l'auteur révise le contenu de son texte. Sur ce brouillon, je permets (et j'encourage !) les ratures, les renvois par des flèches, le découpage et le collage, ainsi que tous les types de gribouillis utiles.

L'élève qui a révisé le contenu de son texte vient ensuite me rencontrer pour que je l'aide à mettre au point sa révision.

La correction

À cette étape, l'élève poursuit son travail de façon autonome. Il doit maintenant corriger son texte. Il accorde au pluriel les mots qui doivent l'être et encercle tous les mots qu'il n'est pas certain de savoir épeler correctement. Il cherche alors chaque mot dans le dictionnaire ou à un autre endroit (dans un abécédaire, au mur de mots, sur une affiche, etc.). S'il ne le trouve pas, il écrit le mot de deux façons différentes au-dessus de celui qui est encerclé. Je spécifie aux élèves de ne pas effacer les traces de leur travail. Cela me permet de voir le boulot accompli et de prendre connaissance des difficultés éprouvées.

Lorsque l'enfant pense avoir terminé la correction de son texte, il me rencontre à nouveau. Nous discutons de l'orthographe des mots difficiles et j'aide alors le jeune auteur à compléter sa correction.

Tranche de vie

Tameika vient me rencontrer avec son texte qu'elle dit avoir corrigé. Je me rends compte que quelques mots courants ne sont pas écrits correctement et qu'elle n'a pas cherché les mots encerclés dans le dictionnaire. Je lui demande alors de retourner à sa tâche. Elle revient plus tard avec son texte mieux corrigé. Tout n'est pas parfait, mais je constate qu'elle a fait un bon bout de la correction. Je l'aide donc à compléter le travail.

Comme nous sommes au début des apprentissages, je n'exige pas la maîtrise de chacune des étapes du processus d'écriture. Je m'attends toutefois à un effort louable de la part de l'élève.

La diffusion

L'étape finale du processus d'écriture consiste en la publication du texte. L'élève recopie son texte final au propre (ou le tape à l'ordinateur) et le rend disponible pour le ou les destinataires déterminés préalablement.

Pour que les élèves se rappellent de chaque étape de correction et n'en sautent aucune, je leur remets une feuille aide-mémoire (voir l'annexe E-2). Au début de la période de travail, je leur rappelle qu'ils ne peuvent pas demander à me rencontrer avant d'avoir fait leur juste part du boulot.

L'enseignement de différents genres de textes

Au fil du temps, j'enseigne également comment écrire différents genres de textes:

- le journal personnel;
- la lettre;
- le texte narratif;
- le texte informatif;
- le poème;
- la réaction écrite (le carnet de lecture).

Le journal personnel

Comme je l'ai mentionné précédemment, le journal est le premier genre de texte que j'enseigne à écrire aux élèves. Ça me semble le plus simple. L'élève écrit pour lui-même. Il raconte un événement de sa vie quotidienne. Pour ce genre de texte, le choix d'un sujet est relativement facile puisque l'enfant peut puiser à même sa propre vie.

Je modélise la façon de faire un journal personnel en écrivant le mien sur un transparent. J'explique où je puise mes idées et comment je rédige chaque phrase. Au début de l'année scolaire, la feuille utilisée par les scripteurs apprentis n'a pas de trottoirs (voir l'annexe E-3). Je les ajoute un peu plus tard lorsque je sens que les enfants sont prêts (voir les annexes E-4 et E-5). Le transparent que j'utilise est une copie conforme de la feuille que mes élèves utilisent pour écrire leur journal.

Au début, je m'attends à ce que mes élèves n'écrivent qu'une ou deux phrases. Selon mon expérience, la plupart des scripteurs apprentis n'écrivent rien la première semaine. Ils sont un peu paniqués face à la page blanche: «Mais Jocelyne, je ne sais pas écrire!» Je leur demande alors de penser à une phrase concernant un certain sujet et d'en faire le dessin. Puis, j'écris moi-même la phrase de l'enfant sous le dessin. Au fil de mon enseignement, des lettres et des mots apparaissent dans leur journal. Les enfants prennent de plus en plus d'assurance et le miracle se produit tout doucement. Éventuellement, je leur demanderai d'écrire un texte plus long. Et j'enseignerai parallèlement les six traits d'écriture.

La lettre

Je montre comment écrire une lettre sur du papier grand format. J'enseigne qu'il faut écrire la date et les formules de politesse. J'explique aux élèves que le *vous* est plus approprié lorsqu'ils s'adressent à des adultes. Le modèle de lettre que nous écrivons reste accessible en tout temps de façon que les élèves puissent s'y référer lorsqu'ils souhaitent écrire une lettre.

Le texte narratif

En cours d'année, j'enseigne aux élèves à écrire une histoire en suivant le schéma du récit, c'est-à-dire en quatre parties: un début, un problème, une solution et une fin. Comme nous abordons ce concept en lecture (c'est l'une des stratégies de compréhension que j'enseigne), mes élèves se sont déjà familiarisés avec celui-ci lorsque vient le temps de rédiger un texte fictif. Ainsi, le transfert des connaissances de la lecture à l'écriture s'effectue aisément.

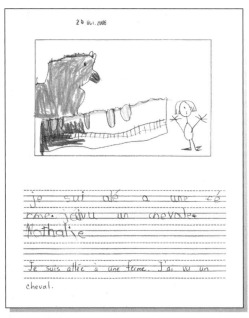

Des journaux de mes élèves

Pour faciliter la rédaction de leur histoire, je fournis aux enfants des feuilles comportant quatre parties clairement identifiées (voir l'annexe E-6). Pour les élèves plus expérimentés, le modèle est un peu plus élaboré. Il se divise en six parties: début, problème, solution, problème, solution, fin. Je leur demande ainsi de trouver deux problèmes au lieu d'un seul.

Note

Je demande aux élèves débutants de dessiner les quatre parties de leur histoire avant d'écrire. Cela facilite grandement l'écriture par la suite.

Le texte informatif

Le chapitre 9 de ce livre est entièrement consacré à la recherche documentaire. La modélisation de l'écriture de ce genre de texte est fondamentale.

Le poème

Pour enseigner aux élèves à écrire une comptine ou un poème, je lis d'abord beaucoup de comptines et de poèmes tirés de livres pour enfants. Nous les analysons. Nous en trouvons les rimes. Nous discutons du rythme de chaque texte. Puis, à partir d'un sujet que nous connaissons bien (souvent lié à notre recherche documentaire annuelle), nous dessinons ensemble une toile d'idées qui nous servira de point de départ pour la rédaction de notre poème. Je démontre comment, à partir de ces idées, je peux construire mon poème. Je reviens sur l'importance du rythme. Chaque élève essaie ensuite de rédiger un court poème.

Ce n'est pas facile! Certains enfants éprouvent plus de difficultés que d'autres. Lorsque l'un d'eux est en panne d'idées, nous prenons un temps d'arrêt pour l'aider collectivement. Nous partons de son idée première et lui suggérons des idées de rimes. La tempête d'idées collective est souvent très efficace!

Chaque poème est ensuite dûment illustré. Quel immense bonheur que de créer un grand livre de poésie qui sera déposé au coin lecture. Tous pourront ainsi le lire et le relire à leur guise!

La réaction écrite

J'invite régulièrement mes élèves à commenter leurs lectures par écrit. Pour leur donner des pistes de réflexion, je leur suggère toujours quelques questions que j'inscris sur une feuille de travail (voir l'annexe C-3).

L'élève ne répond qu'à une ou deux questions au choix. Idéalement, il doit choisir une seule question et développer sa réponse. Cette procédure évite les commentaires quelconques tels que: « J'ai aimé ça parce que c'était bon. »

L'apprentissage de l'épellation des mots

Pour l'apprentissage de l'épellation des mots, je ne travaille pas de la même façon avec mes scripteurs débutants et ceux qui sont plus expérimentés. Je suis plus directive avec les premiers et le suis moins avec les seconds. Avec le temps, je personnalise la liste des mots à apprendre de chaque enfant et je laisse les élèves travailler de façon plus autonome.

Les scripteurs débutants

La liste de mots à apprendre est la même pour tous mes débutants. Ce sont les mots courants, ceux-là mêmes qui sont affichés sur le mur de mots (voir le chapitre 2). Dès la mi-octobre, je choisis chaque semaine huit mots à enseigner. Certains sont tirés du grand livre utilisé en lecture partagée. D'autres proviennent de mes leçons graphophonétiques. Je veux que les enfants aient des repères qui facilitent leur apprentissage. J'établis ainsi des connections entre le grand livre, la relation entre un son et une lettre, et les mots à apprendre.

Par exemple, si je décide d'enseigner la correspondance entre le son « on » et les lettres qu'on utilise pour l'écrire (le graphème), je choisirai un grand livre dans lequel on retrouve ce son et nous étudierons également les mots courants contenant ce même son : *bon, mon, non, son, ton*, etc. D'autre part, si je choisis d'enseigner le mot *les*, je donnerai aussi les autres mots qui y sont apparentés : *des, mes, tes* et *ses*. Je prendrai grand soin d'étudier la terminaison de ces mots avec mes élèves.

Tranche de vie

Du temps où je suivais méticuleusement un guide pédagogique pour enseigner la lecture et l'écriture, les mots proposés chaque semaine étaient complètement dissociés du reste de mon enseignement. Le choix des mots me semblait presque aléatoire. Il n'existait généralement aucun lien entre eux. Les élèves ne pouvaient utiliser qu'une seule stratégie pour les apprendre : la mémoire visuelle du mot. Maintenant, je m'efforce de choisir des mots qui se ressemblent (qui sont de même famille ou qui contiennent tous le son enseigné au cours de la semaine) pour faciliter l'apprentissage de leur orthographe. Ça me semble tellement plus logique !

Les mots de la semaine sont minutieusement étudiés en classe. Voici à quoi peut ressembler une leçon :

Tous les enfants ont leur cahier d'écriture et un crayon en main. J'écris le mot *bon* au tableau.

MOI : Qui peut me lire ce mot ?

THOMAS : *Bon.*

MOI : Quels sont les deux sons que l'on entend dans ce mot ?

NOUHA : « bbb », « on ».

MOI : Regardez bien comment s'écrit chaque son. Le son « bbb » s'écrit avec la lettre *b* et « on » s'écrit avec les lettres *o* et *n*. Vous vous rappelez de l'histoire du « on ». Qui peut me raconter l'histoire ?

Vanessa raconte l'histoire.

MOI : Très bien. Regardez bien le mot. Suivez mon doigt et dites le mot en robot.

TOUS : « bbb », « on » : bon.

MOI : [Je cache le mot.] Qui peut m'épeler le mot *bon* ?

DÉREK : *b, o, n.*

MOI : Écrivez le mot dans votre cahier. [Je découvre ensuite le mot.] Comparez bien le mot que vous avez écrit avec celui du tableau.

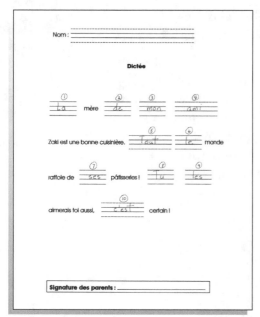

Un exemple d'une dictée trouée

MOI : Regardez bien ce que je vais faire. [J'efface la première lettre du mot et je la remplace par un *s*.] Quel est le nouveau mot formé ?

NOUHA : *Son*.

Je reprends ainsi toute la démarche d'analyse pour chacun des mots proposés.

Les élèves révisent leurs mots chaque jour : par frottis, en les reproduisant à l'aide de lettres découpées ou en utilisant des chemises à rabats plastifiées (voir ci-après les activités pour les scripteurs plus expérimentés). À la fin de la semaine, je leur donne une dictée trouée. La dictée que je prépare contient au moins une dizaine de mots dont certains auront été appris au cours de la semaine et d'autres, tirés des dictées des semaines précédentes. La dictée trouée me semble appropriée à des scripteurs débutants puisqu'elle leur permet d'observer, dans le contexte de phrases, les mots appris de façon isolée.

Les scripteurs plus expérimentés

Après un certain temps, les élèves ayant acquis une assez bonne connaissance de l'orthographe des mots courants (généralement mes élèves de deuxième année) auront une liste de mots personnalisée. Dans les textes qu'ils écrivent au quotidien, je surligne en couleur les mots dont l'orthographe n'est pas sue. Ce sont ces mots qui devront être appris.

D'autre part, chaque semaine, je reviens sur un ou deux graphèmes complexes. Sur des cartons, nous dressons une liste de mots qui contiennent ces graphèmes et j'attache tous les cartons à l'aide d'un anneau. Je suspends les cartons de façon à les rendre accessibles en tout temps aux enfants. Nous nous y référons régulièrement.

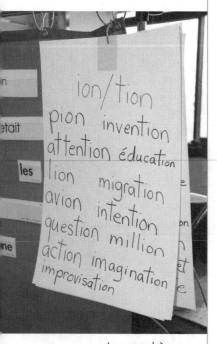

Les graphèmes complexes

Les élèves peuvent également conserver ces listes dans un cahier prévu à cet effet (voir l'annexe E-7). Exemple :

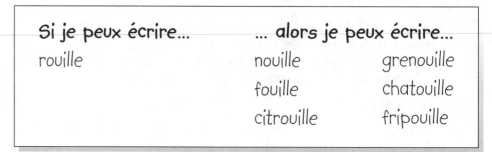

Si je peux écrire...	... alors je peux écrire...	
rouille	nouille	grenouille
	fouille	chatouille
	citrouille	fripouille

J'ajoute ainsi à la liste des mots à apprendre des mots composés de graphèmes auxquels nous nous attardons particulièrement en classe. Par exemple, dans le cas où j'enseigne le graphème *ouill* pendant la semaine, les élèves ont deux ou trois mots en *ouill* à apprendre en plus des mots tirés de leurs textes.

Les mots à apprendre sont listés sur une feuille (voir l'annexe E-8). Je dresse idéalement cette liste toutes les semaines avec chaque enfant. Cela me permet de discuter spécifiquement avec chacun de l'orthographe des mots.

Mes élèves expérimentés apprennent leurs mots de façon autonome. Leur travail se divise en quatre étapes[6] :

- l'écriture des mots à l'aide d'une chemise à rabats plastifiée ;
- la formation des mots à l'aide de lettres découpées ;
- l'apprentissage des mots par essais et erreurs ;
- la dictée des mots.

L'écriture des mots à l'aide d'une chemise à rabats plastifiée

J'ai plastifié des chemises et en ai découpé chaque couverture en trois sections. Sous le premier rabat, l'enfant place sa liste de mots à apprendre (voir l'annexe E-9). Il s'exerce ensuite un mot à la fois : il regarde bien le mot, ferme le rabat, ouvre le deuxième rabat et écrit le mot. Puis, il vérifie que son mot est bien écrit. S'il n'a pas fait d'erreur, il passe à un autre mot et, s'il a fait une faute, il tente de l'écrire une seconde fois sous le troisième rabat.

Puisque les chemises sont plastifiées, les enfants utilisent des crayons qui s'effacent à sec pour écrire. Ils adorent ça !

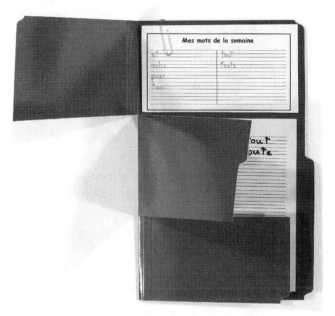

Une chemise à rabats pour l'étude des mots

La formation des mots à l'aide de lettres découpées

Les enfants se servent ici de lettres plastifiées qui sont classées en ordre alphabétique dans des petits bacs. À l'aide de ces lettres, ils forment chaque mot à apprendre.

L'apprentissage des mots par essais et erreurs

Les élèves se placent en paires. Ils se dictent leurs mots à tour de rôle (voir l'annexe E-10). Après l'écriture de chaque mot, si le mot n'est pas écrit comme il se doit, l'élève a droit à un second essai. Si le mot n'est toujours pas bien écrit au second tour, il le recopie correctement en prenant soin d'encercler la partie du mot qui lui occasionne des difficultés.

Nom : Yasmine   Date : 2 0 SEP. 2006

Essaie-toil

Écris le mot.	Si le mot n'est pas écrit correctement, essaie encore.	Si le mot n'est pas encore écrit correctement, recopie-le. Encercle tes difficultés.
moi		
toi		
le soir		
voir		
noir		
aprè	aprè	apr(è)
une seure	une snr	une sœur
ausi	aausi	
gome	gomme	Comme
homme		

L'apprentissage des mots par essais et erreurs

---

6. Ces étapes s'inspirent du travail de Nadon (2002).

La dictée des mots

À la fin de la semaine, les élèves complètent leur travail en équipe par une dictée conventionnelle des mots. Je prends soin d'en vérifier la correction et je m'assure ainsi que les mots sont bien appris. Si ce n'est pas le cas, l'enfant devra revoir les mots mal orthographiés la semaine suivante.

> **Note**
>
> Il n'est pas tout de bien réussir sa dictée à la fin de la semaine. Je m'attends également à ce que les mots appris par chacun soient orthographiés correctement dans tous les textes rédigés au quotidien. Je veux que l'enfant intègre l'orthographe des mots qu'il étudie. Je suis donc très attentive à cela. Si je constate que l'orthographe d'un mot n'est pas acquise, l'élève devra revoir encore ce mot en leçon.

La modélisation

Je suis un modèle de lectrice pour mes élèves. En écriture, il importe également que je sois un modèle d'auteure pour eux. Je dois donc écrire devant eux comme je lis devant eux. J'écris souvent devant mes élèves afin de démontrer les stratégies d'écriture que je souhaite enseigner. La modélisation est presque toujours intégrée à ma leçon. Je modélise ainsi ce qu'une auteure experte fait lorsqu'elle écrit. Cela aide énormément les enfants à comprendre ce que j'attends d'eux. Je ne me limite plus à une explication orale. Je démontre concrètement ce à quoi je m'attends. Pour ce faire, j'utilise souvent le rétroprojecteur. Cet instrument est devenu un outil de travail très important dans ma classe. Je peux toutefois utiliser du papier grand format ou tout simplement le tableau. Ce que j'apprécie du rétroprojecteur, c'est que je peux utiliser un transparent de la même feuille que mes élèves utilisent pour écrire (par exemple pour l'écriture du journal). Les repères étant identiques, cela facilite la compréhension de l'élève.

Voici un exemple de modélisation pour l'enseignement du choix d'un sujet :

« Si vous me laissez une minute, je vais réfléchir à ce dont j'aimerais parler dans mon journal aujourd'hui. De quoi est-ce que je pourrais bien parler ?... Je dois trouver un sujet qui m'intéresse. Il y a beaucoup de choses que je pourrais raconter. Je pourrais parler de ma chienne Lili avec laquelle je fais énormément d'activités. Je pourrais parler de ses petites bêtises... Je pourrais raconter le film que j'ai vu cette fin de semaine avec mon amie Éliane. Je pourrais parler de la belle soirée de fête que m'ont organisée mes amies Manon et Nicole... J'ai décidé. Je vais parler de Lili qui a commencé des cours d'obéissance hier. Elle est une vraie génie ! »

Je commence ensuite à rédiger mon texte en exprimant à haute voix ce que je fais :

«Ma phrase sera donc: *Hier Lili a commencé des cours d'obéissance.*»

Je pourrais également expliquer comment je m'y prends pour écrire une phrase: où je trouve les mots, comment je fais pour écrire des mots nouveaux, comment je laisse des espaces entre les mots, etc. Toutefois, puisque ma leçon porte ici principalement sur le choix d'un sujet, je ne m'attarderai pas plus qu'il ne le faut à d'autres aspects de l'écriture. Après avoir écrit ma phrase ou mon texte, je m'assure cependant que chaque élève a choisi un sujet d'écriture. Si tel n'est pas le cas, je mets le reste des élèves à contribution pour aider l'enfant qui n'a pas d'idée à trouver un sujet intéressant. Cela fonctionne à tous coups!

Je modélise ainsi chacune des notions enseignées. La modélisation fait maintenant partie intégrante de mon enseignement.

Chapitre **8** | Les différentes activités d'écriture

Comme en lecture, les différentes activités d'écriture que je propose à mes élèves requièrent un degré de participation variable de leur part. Pendant une situation d'écriture partagée, j'assume une grande part de l'écriture. Lors d'une activité d'écriture interactive, les élèves écrivent avec mon aide. Et finalement, pendant la période de pratique individuelle, les élèves produisent eux-mêmes des textes, parfois avec mon aide (écriture guidée) et parfois sans mon aide (écriture autonome).

Dans ma classe, chaque période d'écriture quotidienne est consacrée à l'une ou l'autre de ces activités. Je passe de l'une à l'autre en fonction des besoins et des projets du moment. Les destinataires sont toujours bien réels. Qu'il s'agisse d'une lettre aux parents pour raconter une sortie ou demander une autorisation, d'une invitation destinée à un auteur, d'une histoire qui sera lue aux élèves de la maternelle ou d'un rapport de recherche, le sujet de rédaction n'est jamais bidon. Il est toujours le plus signifiant possible et est destiné à de vraies personnes. Et pas seulement à l'enseignante!

L'écriture partagée

L'écriture partagée est une situation d'écriture collective au cours de laquelle les élèves me dictent le texte à écrire. Pendant cette activité, je sers en quelque sorte de secrétaire et j'aide les enfants à rédiger leur message. Dans ce contexte, j'utilise presque toujours du papier grand format. Je rassemble les élèves devant le chevalet et nous écrivons ensemble une lettre aux parents, une partie d'un rapport de recherche (l'introduction, la conclusion, etc.), une section d'une étude littéraire ou n'importe quel autre genre de texte.

Alors que pendant la lecture partagée je lis, pendant l'écriture partagée j'écris. Je sers ici de modèle et de guide. Les élèves me lancent des idées. Je me réserve le droit de les reformuler en des termes plus clairs.

Nous avons rédigé l'introduction de notre rapport sur les mammifères marins du Saint-Laurent en écriture partagée.

Je discute de la structure du texte ainsi que des phrases et des mots qu'ils me suggèrent. Je les aide à mieux organiser leurs idées, à mieux rédiger leurs phrases et à mieux choisir les mots. J'attire leur attention sur l'orthographe d'un mot en particulier. En cours de rédaction, nous relisons notre texte plusieurs fois en lecture partagée.

L'écriture interactive

J'aime particulièrement cette activité d'écriture collective. Les élèves sont rassemblés face au chevalet et ils écrivent à tour de rôle sur du papier grand format. Ils se passent le marqueur pour écrire la première lettre d'un mot, quelques lettres ou un mot complet. Dans le contexte de ma classe multiâge, où l'écart entre les différents niveaux d'habileté des apprenants est assez grand, cette activité est très enrichissante. Elle permet à chacun de participer à sa mesure à l'écriture d'un texte. Un élève apprenti vient écrire la première lettre du mot *livre*. Un scripteur plus expérimenté complète ensuite ce mot. Un autre est heureux d'écrire un mot qu'il a appris à épeler au cours de la semaine. Une grande lettre, une petite lettre. Un mot un peu de travers, un autre tracé d'une main plus assurée. Le texte prend ainsi forme grâce à la contribution de chacun, et ce, toujours dans le respect des différences.

Tous les types de textes peuvent être rédigés en écriture interactive. Pendant la rédaction, j'anime une discussion sur la structure du texte, les phrases ou les mots. J'attire l'attention des enfants sur un son en particulier, sur l'aspect visuel d'un mot, sur les accords grammaticaux, sur le tracé d'une lettre, etc.

Voici l'exemple d'une activité d'écriture interactive vécue en classe. Il s'agit d'un message adressé aux parents en prévision d'une première rencontre avec moi.

Voici un autre exemple d'écriture interactive. Les élèves ont réécrit l'histoire du *Petit Chaperon rouge* de Perrault à partir des images du livre de Rascal.

Les différentes activités d'écriture

Je prends parfois le marqueur et griffonne sur le papier pour mieux me faire comprendre. C'est une activité fabuleuse.

L'écriture guidée et l'écriture autonome

Je jumelle généralement les activités d'écriture guidée et d'écriture autonome à l'intérieur d'une même période. Pendant que des élèves écrivent seuls (sans mon aide), j'en guide d'autres dans leur rédaction. L'atelier d'écriture débute presque toujours par une leçon. Je me rends ensuite disponible pour une aide individuelle ou je rencontre un petit groupe d'enfants qui ont un besoin particulier. Si un élève est en panne d'idées, je tente de le mettre sur une bonne piste. Un autre veut me rencontrer pour publier un texte, je lui consacre du temps. Un autre se demande où trouver un mot courant, je l'aide à étirer le premier son du mot pour en nommer la première lettre. Un autre me demande d'épeler un mot pour lui, je l'aide parfois à défaire le mot en phonèmes ou je l'invite à essayer de le faire lui-même. Les enfants savent que je n'épelle pas les mots. Ils doivent apprendre à utiliser de façon autonome des stratégies qui les aideront à écrire les mots inconnus. Je les guide vers les stratégies appropriées.

Pendant cette période, les élèves écrivent, écrivent et écrivent: un journal, une histoire, une lettre, un texte informatif... Leur travail d'écriture va parfois de pair avec des lectures qu'ils ont faites: une lettre à un auteur, un commentaire sur un livre (à l'intérieur du carnet de lecture), une affiche pour faire connaître un roman... Les possibilités sont multiples! Avec les élèves plus expérimentés, je suis davantage à l'affût d'événements réels qui pourraient susciter leur intérêt à écrire différents types de textes. J'écoute les enfants, je les observe et je leur suggère parfois des idées en fonction de leurs champs d'intérêt personnels. Par exemple, je peux suggérer à un élève d'écrire à un auteur au sujet d'un livre préféré, de rédiger une lettre de remerciements à la suite d'une sortie ou de participer à un concours d'écriture sur un thème proposé (cela fonctionne bien avec les enfants qui ont un caractère plus compétitif). Il n'y a rien de tel qu'un événement réel et signifiant pour stimuler la rédaction d'un texte. Souvent, en arrivant le matin, un élève me dit: «Jocelyne! J'ai hâte d'écrire mon journal aujourd'hui! J'ai un bon sujet!» Je sais alors que l'enfant a vécu un événement spécial qu'il a envie de partager avec ses pairs. J'adore. Je veux que mes élèves aiment écrire.

Je mets tout le matériel nécessaire (feuilles, cartons, etc.) à la disposition des élèves. Ils se servent et estampent la date du jour eux-mêmes sur leurs textes. Ils regroupent leurs textes dûment datés dans une reliure à anneaux qu'ils conservent dans leur tiroir.

Je ne corrige pas les textes qui sont écrits au cours de chacune des périodes d'écriture, mais je prends note des difficultés éprouvées en vue de mes prochaines leçons. Lorsque je n'arrive pas à lire ce que l'élève a voulu écrire, je demande à l'auteur de me lire son texte et je réécris la ou les phrases en bas de page. Cela me permet de saisir où en est l'apprenant dans son développement orthographique et de planifier des leçons appropriées qui l'aideront à progresser. Il va sans dire que mes attentes varient d'un élève à l'autre. Tout le monde écrit et progresse à sa mesure.

La lettre de Simon-Pierre à l'auteure Lucie Bergeron :

Le vendredi 10 décembre 2004

Chère Madame Bergeron,

Moi, j'aime beaucoup vos livres de Solo parce qu'ils sont très amusants !
Ma professeure Jocelyne m'a dit qu'elle vous a rencontrée au Salon du livre
et que Solo 5 va sortir ! J'ai hâte de le lire !

Moi, je vais essayer de faire un roman comme vous !

Mon idole, c'est vous !

Simon-Pierre, 2e année

La lettre d'Imane à l'auteur François Gravel :

Le mardi 15 mars 2005

Cher Monsieur Gravel,

J'aime beaucoup vos livres. Je trouve que vous avez une belle plume. J'adore
comment vous décrivez David et son chien Fantôme. Mais est-ce que, dans
David et les crabes noirs, cela vient de votre imagination ?

Avez-vous un animal de compagnie ?

Imane, 2e année

Le texte de Patrick publié le 22 décembre 2004 dans le journal *La Presse*
(dans le cadre d'un concours de contes de Noël) :

Le pain d'épice de Noël

Il était une fois une vieille dame qui s'appelait Josiane. Un jour, elle prépare
des pains d'épice. Josiane dit : « Oh ! J'ai oublié la farine ! » Elle part donc en
chercher au magasin. Mais elle ne sait pas qu'un des pains d'épice prend vie.
Le pain d'épice s'enfuit du four et s'en va en ville.

Quand la dame revient dans la cuisine, elle ouvre la porte du four et dit : « Oh !
Un de mes biscuits a été volé ! » Elle appelle son fils Michel et demande : « Est-
ce toi qui a mangé un biscuit ? » Michel répond qu'il n'a rien mangé. Il était
en train de dormir.

Pendant ce temps, le pain d'épice marche dans la ville. Il rencontre un sapin
décoré avec des dessins d'enfants. Le sapin lui dit bonjour. Le pain d'épice
répond « bonjour » et il court dans la ville parce qu'il n'a jamais vu un sapin
qui parle ! En marchant, il rencontre le Père Noël. Le Père Noël lui donne un
cadeau. Il rencontre aussi un garçon qui veut le manger. Alors le pain d'épice
effrayé rentre vite chez Josiane en courant.

Josiane et Michel sont si heureux de revoir le pain d'épice qu'ils décident de ne
pas le manger. Ils l'installent plutôt au sommet de leur sapin. Depuis ce jour,
le pain d'épice ne veut plus aller en ville. Il est bien trop heureux de retrouver
chaque année sa place tout en haut de l'arbre de Josiane !

Patrick, 2e année

La réaction écrite de Keven à propos du livre *Rouge Timide* **de Gilles Tibo :**

Le livre m'a rappelé mon petit poisson rouge. Il s'appelait Jules. Il était très
timide. À chaque fois que je voulais lui parler, il se cachait. Jules était trop
timide. Il avait très peur de nous. Mais des fois, il faisait des bulles comme le
poisson de Gilou dans *Rouge Timide*.

Keven, 1re année

Les différentes activités d'écriture

La chaise de l'auteur

À la fin de la période, je prévois toujours (presque toujours!) un moment de partage. C'est le moment au cours duquel trois ou quatre élèves lisent un de leurs textes assis confortablement sur notre chaise de l'auteur. Cette chaise est dédiée à ce partage. Pour m'assurer de n'oublier personne, j'ai divisé mon groupe en cinq sous-groupes selon chacun des jours de la semaine. Les élèves du lundi lisent un de leurs textes le lundi, les élèves du mardi lisent le mardi, et ainsi de suite. Les élèves désignés choisissent un texte qu'ils ont écrit au cours de la semaine. Au fur et à mesure des lectures, nous discutons des points forts de chacun et nous échangeons sur certains aspects des textes à améliorer. Les enfants sont invités à poser des questions aux auteurs choisis et à commenter leurs textes. C'est une activité volontaire. Je ne force personne à lire un texte (une page de journal, par exemple) qu'il souhaiterait garder confidentiel.

Tranche de vie

Mes élèves adorent s'asseoir sur la chaise de l'auteur. Pour eux comme pour moi, l'échange représente une étape importante de la période d'écriture. Malheureusement, le temps nous manque souvent. Pour éviter de passer tout droit, j'ai acheté une petite minuterie qui sonne quelques minutes avant la fin de la période. Cette sonnerie indique que c'est le moment du partage. Très efficace pour ne pas oublier!

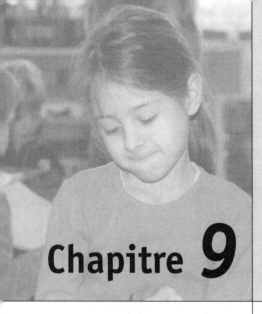

Chapitre 9

Les recherches documentaires

Chaque année, je propose une recherche documentaire à mes élèves. Nous la commençons souvent au mois de janvier pour que les enfants de première année du premier cycle puissent y participer pleinement. J'étale généralement toutes les étapes de la recherche jusqu'au mois de mai. Des activités littéraires et artistiques sur le même thème accompagnent et complètent la recherche documentaire. Dans ce contexte, l'intégration des matières se fait de façon sublime.

Le choix du sujet

Je choisis toujours un sujet général, commun à toute la classe. Idéalement, le sujet de la recherche est proposé par les élèves en fonction de leurs champs d'intérêt. Mais dans la vraie vie, il n'est pas toujours souhaitable que de jeunes élèves le choisissent eux-mêmes, et ce, pour deux raisons principales.

La première raison, c'est qu'il faut s'assurer de la disponibilité de livres documentaires appropriés aux niveaux de lecture des enfants. Un sujet peut sembler très intéressant de prime abord, mais, s'il n'existe aucun livre approprié sur le sujet, la recherche peut devenir laborieuse et frustrante pour les enfants.

Une autre raison provient du fait qu'en tant qu'enseignante je dois tenir compte du programme de science proposé par le ministère de l'Éducation. Je me réfère donc à ce programme régulièrement pour m'assurer que les sujets traités par mes élèves font partie des domaines d'études qui y sont suggérés. Lorsque je décide moi-même d'un sujet, j'essaie toutefois de proposer un certain choix aux élèves parmi quelques sous-thèmes ou alors je m'assure que leur recherche portera sur une ou plusieurs questions qu'ils se posent en cette matière.

Dans le contexte de ma classe multiâge, où je garde la moitié de mes élèves pendant deux ans, je change le domaine étudié chaque année.

Par exemple, la première année, je peux décider d'étudier le comportement animal (l'univers vivant) et, l'année suivante, le système Terre-Lune-Soleil (la Terre et l'espace). Je peux très bien reprendre les mêmes sujets sur un cycle de deux ans. Toutefois, par intérêt personnel, parce que j'apprends énormément en même temps que les enfants, je préfère changer de sujet chaque année. C'est naturellement plus de travail, mais c'est aussi plus stimulant pour moi. Et puis ça ouvre la porte à des propositions parfois très chouettes de la part des élèves.

Tranche de vie

«Jocelyne! On a un bon sujet de recherche à te proposer cette année!» Ce sont les premiers mots que Camille, une élève de 2e année, et sa mère, Marie, me lancent lors de nos retrouvailles à la rentrée scolaire. Pendant les vacances d'été, elles ont visité le Musée de la mer de Rimouski (au Québec) avec leur famille et sont très emballées par les découvertes qu'elles y ont faites. Cette visite leur a donné l'idée d'un projet de recherche pour la classe sur les mammifères marins du golfe du Saint-Laurent.

Comme nous avions étudié le système Terre-Lune-Soleil l'année précédente, je trouvais qu'un sujet portant sur les animaux serait fort approprié: «C'est un sujet formidable! Il faudra le proposer à tes camarades de classe, Camille. Je dois d'abord vérifier si je trouve suffisamment de livres là-dessus et on s'en reparle.» Je suis donc allée à la bibliothèque de mon quartier pour y découvrir, à ma grande joie, toute une panoplie de beaux livres pour enfants fort pertinents. Camille était particulièrement fière de sa suggestion et c'est avec emballement que ses camarades ont plongé avec elle dans l'univers des mammifères marins du golfe du Saint-Laurent.

La constellation d'idées

Lorsque le sujet est choisi, je prépare une constellation d'idées d'activités sur ce thème. Cela me donne un aperçu de l'exploitation que je peux en faire. Je ne réaliserai probablement pas toutes mes idées, mais ce travail me guide tout au long de l'année. La figure 9.1 représente un exemple de ma constellation d'idées sur le thème de la pomme.

L'organisation

En période de recherche, l'organisation de ma classe varie d'une année à l'autre. Généralement, les équipes de travail sont constituées de deux élèves. Je réunis habituellement un lecteur compétent et un lecteur débutant ou en transition. Pour constituer mes équipes, je remets à chaque lecteur débutant ou en transition un carton rouge. Puis, je remets à chaque lecteur compétent

Figure 9.1 | Une constellation d'idées sur le thème de la pomme

Activité d'introduction

- Cueillette de pommes au verger

Communication orale

- Échanges quotidiens
- Présentation de la recherche lors d'une expo-sciences

Lecture

- Documentaires
- Fictions (exemple : Blanche-Neige)
- Recettes
- Comptines

Sciences

- Recherche sur la pomme
- Saisons
- Étapes de vie et besoins de la plante (semer un pépin)
- Démarche expérimentale : Est-ce que toutes les pommes ont le même nombre de pépins ?

Informatique

- Consultation de sites Web sur la pomme
- Traitement de texte

Pomme

Écriture

- Écriture guidée et écriture autonome : rapport de recherche
- Écriture partagée : introduction et conclusion du rapport de recherche
- Écriture interactive : lettre aux parents sur notre visite au verger
- Liste d'expressions sur le thème de la pomme

Mathématiques

- Sondage : Les fruits préférés des élèves de l'école
- Comptage des pépins dans les pommes

Santé

- Place de la pomme dans le **Guide alimentaire canadien**
- Importance de bien manger

Arts plastiques

- Fabrication d'un pommier
- Réalisation d'affiches pour la présentation de la recherche

Musique

- Composition d'une chanson à partir du vocabulaire acquis sur la pomme

---

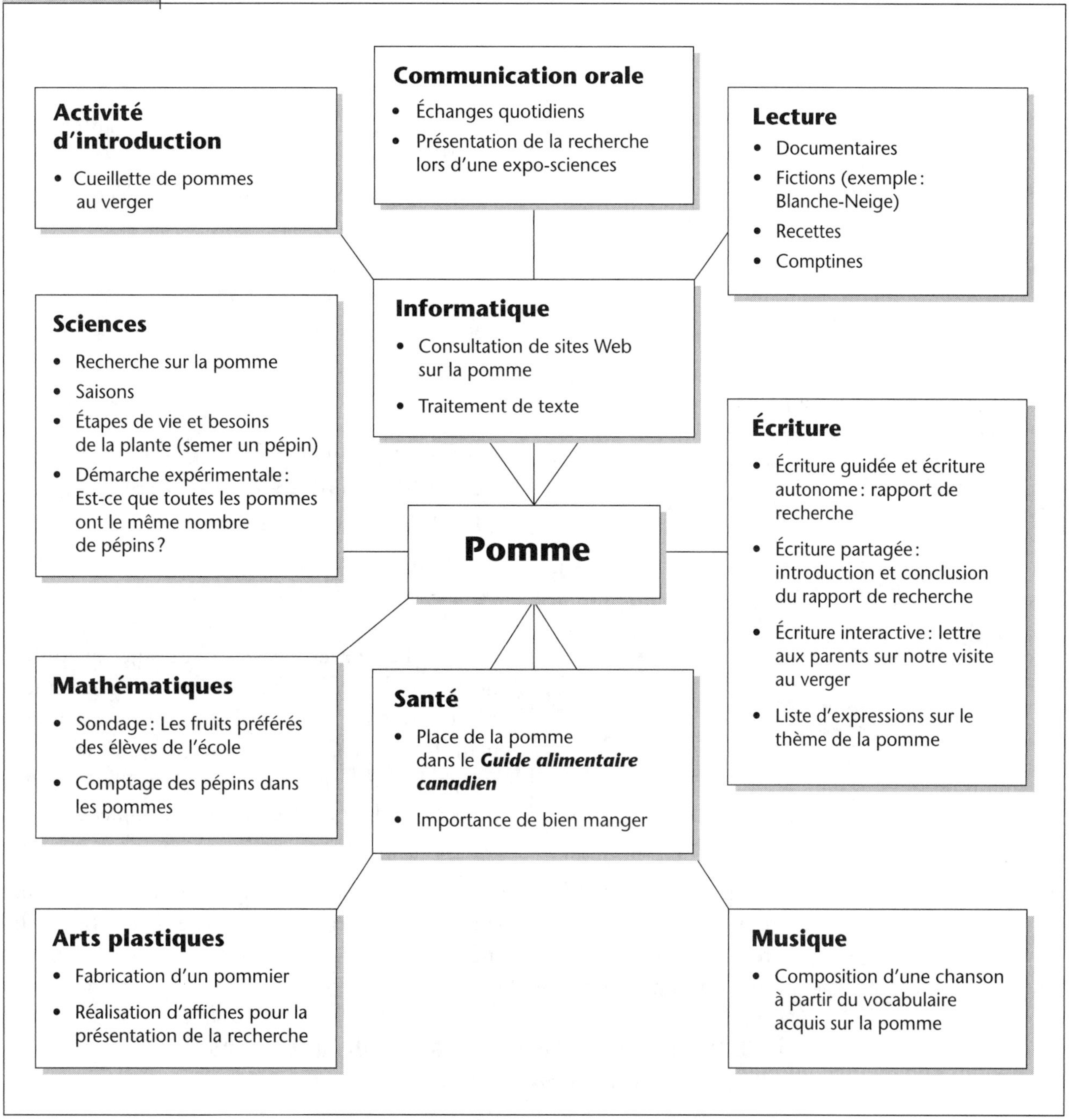

un carton vert. Je laisse ensuite les élèves se choisir entre eux (carton rouge avec carton vert) en fonction de leurs affinités. Comme le travail de recherche s'étale sur une longue période, il importe que les coéquipiers s'entendent bien.

Parfois, le pairage des élèves se fait en fonction des sous-thèmes choisis. Dans ce cas, je m'assure quand même que chaque équipe sera fonctionnelle.

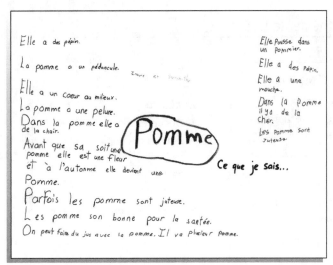

« Ce que je sais sur la pomme » par Imane et Samantha

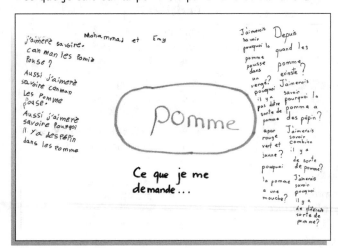

« Ce que je me demande
sur la pomme » par
Mohammad et Emy

Les étapes d'une recherche

Après avoir déterminé le sujet, il y a principalement quatre étapes à la réalisation d'une recherche :

- L'activation des connaissances antérieures (J'écris ce que je sais) ;
- La formulation de questions (J'écris ce que je me demande) ;
- La cueillette de l'information (Je trouve et j'organise l'information) ;
- La communication des résultats (Je communique mes découvertes).

Première étape : L'activation des connaissances antérieures (J'écris ce que je sais)

Voici une méthode qui fonctionne très bien pour l'activation des connaissances antérieures des élèves. Je remets une grande feuille à chaque équipe. Les élèves écrivent leur sujet au milieu de la feuille. Puis, chacun écrit simultanément ce qu'il sait sur ce sujet. Les scripteurs apprentis peuvent dessiner. Tout le monde travaille en même temps. Personne ne reste à rien faire. À cette étape, il n'y a pas d'échange entre les coéquipiers.

Lorsque tout le monde a terminé, les équipiers échangent entre eux quelques minutes. Puis, chaque équipe présente son travail à la classe. Pour abréger les présentations, on peut également demander à chacun de présenter l'information la plus pertinente qu'il connaît sur son sujet.

Deuxième étape : La formulation de questions (J'écris ce que je me demande)

De la même façon qu'à la première étape de la recherche, les enfants écrivent simultanément ce qu'ils aimeraient savoir sur le sujet choisi. Par la suite, les équipiers échangent entre eux un court moment et présentent ensuite leurs questions à la classe. Encore une fois, on peut demander à chaque enfant de ne présenter que la question qui lui semble la plus intéressante.

Troisième étape : La cueillette de l'information (Je trouve et j'organise l'information)

Les élèves cherchent les réponses à leurs questions dans les livres que je mets à leur disposition. Il existe maintenant plusieurs collections magnifiques de livres scientifiques pour enfants (voir l'encadré à la page suivante pour des

> ### Des suggestions de collections de livres documentaires sur les animaux
>
> Collection « Animalou », Éditions Nathan
>
> Collection « Chroniques de la Savane », Éditions PEMF
>
> Collections « Ciné-faune » et « Savais-tu ? », Éditions Michel Quintin
>
> Collection « Mes premières découvertes », Éditions Gallimard
>
> Collection « Mini Patte », Éditions Milan
>
> Collection « Petit monde vivant », Éditions Banjo
>
> Collection « Regarde-les grandir », Éditions Hachette Jeunesse
>
> Collection « Qui es-tu ? », Éditions Mango Jeunesse
>
> Collection « Une vie de... », Éditions Bilboquet
>
> Collection « Zazoom et... », Éditions Play Bac

suggestions de livres sur les animaux). Il faut prévoir l'utilisation d'au moins trois livres de référence pour qu'une recherche soit valable. J'emprunte donc plusieurs ouvrages à la bibliothèque de mon quartier et je les laisse circuler d'une équipe à l'autre.

Pour compiler les informations trouvées, il existe plusieurs façons de faire. L'une d'entre elles, que je trouve particulièrement efficace et simple d'utilisation, consiste à remplir une grille préparée à l'aide des questions initiales. La grille doit avoir deux axes : un axe pour le titre des ouvrages consultés et un axe pour chacune des questions. Quoique l'on puisse conserver les questions telles quelles, il est cependant souhaitable de les transformer en thèmes plus larges pour permettre d'approfondir la recherche. Par exemple, si un élève se demande à combien de petits le loup donne naissance, une catégorie plus générale pourrait être « Les petits ». Ainsi, en plus de trouver réponse à sa question, l'enfant pourra également trouver d'autres informations pertinentes sur les petits et creuser un peu plus à fond le thème qui l'intéresse. Je guide les élèves dans cette démarche. Ils ne pourraient y arriver complètement seuls. Voici d'autres exemples de catégories générales : la nourriture, les caractéristiques physiques, l'habitat, le comportement social, les ennemis, le cycle de vie, etc. De plus, nous gardons toujours une colonne pour les faits intéressants, c'est-à-dire pour toutes les informations pertinentes additionnelles que les élèves trouvent dans les livres et qui ne peuvent être classées dans aucune des catégories créées.

La modélisation

Avant de lancer les élèves dans cette démarche de cueillette des informations, je modélise toujours une activité scientifique collective pour qu'ils comprennent bien cette façon de faire[7]. Je choisis un sujet. Les élèves écrivent ce qu'ils en

---

7. Je fais parfois la modélisation d'une recherche avant Noël pour que les élèves soient fin prêts à commencer leur propre recherche au mois de janvier suivant.

Livres	Communication	Comportement	Petits	Faits intéressants
"Les chiens" de Emma Helbrough	Quand le chien bouge la queue, ça veut dire qu'il est content. Quand il est vraiment fâché, il grogne et montre ses dents. Il pointe ses oreilles quand il voit ou entend quelque chose d'intéressant. Quand il fait une bêtise, il met sa queue entre ses pattes. Quand il voit un autre chien à flairer, il baisse ses pattes avant et lève son menton.	Le chien lèche le visage du chef et se couche sur le dos en signe de respect. Quand des étrangers viennent sur leur territoire, ils japent parce qu'ils croient que l'écriture leur appartient. Le chien urine sur les arbres des autres chiens pour marquer le territoire.	La maman chien donne naissance à 6 à 10 petits chiens. C'est une portée. Après 14 jours, les chiots commencent à marcher. Les dents des chiots apparaissent après 21 jours.	Le chien sent les autres chiens pour savoir s'ils sont des femelles ou des mâles et pour connaître leur âge.
"Les chiens" de Bobbie Kalman et Hannelore Sotzek	Quand le chien voit un ennemi, il montre ses dents pointues et le menace de son regard. Lorsque l'ennemi ne s'en va pas, il peut y avoir un combat entre les 2. Quand le chien se soumet à un autre chien, il baisse la tête et arrête de le regarder.	Les chiens vivent en bandes de plusieurs chiens et de personnes. Ils ne vivent pas seuls. Dans le groupe, il y a un chef. Les autres lui obéissent. Ils mangent après lui.	La maman porte les chiots pendant environ 2 mois. Après la naissance des bébés, elle les lèche pour les laver et pour les nourrir. Au début, les chiots boivent le lait de la mère. Après 21 jours, ils peuvent commencer à manger de la nourriture solide. Pour les aider, la mère peut recracher de la nourriture qu'elle a déjà mâchée. Après un mois, les chiots s'intéressent aux choses qui les entourent. Ils jouent tous ensemble.	... et pour savoir s'ils sont soumis ou chefs. Les chiots n'entendent pas et ne voient pas avant deux semaines. Les chiens peuvent sentir 100 fois plus que nous. Ils ne peuvent pas voir la couleur rouge mais ils peuvent voir toutes les teintes de bleu et de vert. Les chiens font toutes sortes de choses pour aider les gens. Ils sont parfois dressés pour aider les aveugles, trouver les gens sous les avalanches, sentir la drogue dans les aéroports et sauver les personnes de la noyade.
"L'imagerie des animaux familiers" de Patricia Reinig	Quand le chien est triste, il hurle comme un loup. Quand il s'impatiente, il fait de petits gémissements.	Les chiens ont gardé certains comportements des loups.		

Ma recherche modélisée sur le chien

connaissent et ce qu'ils aimeraient en savoir. À partir des questions des enfants, je prépare une grille géante que j'appose sur mon babillard. J'explique comment je prépare cette grille.

Je montre ensuite la différence entre un livre de fiction et un livre documentaire. J'explique comment on utilise le livre documentaire. On ne le lit pas de la même façon qu'une histoire. On utilise la table des matières et l'index pour s'y retrouver. On porte une attention particulière aux titres et aux sous-titres. On ne le lit pas nécessairement « d'un couvert à l'autre ». On peut y chercher seulement l'information qui nous intéresse.

Puis, je modélise la façon de chercher et de compiler l'information liée au sujet choisi. Je lis aux élèves des extraits de livres en lien avec leurs questions. Lorsque nous trouvons une donnée pertinente, je demande aux élèves de reformuler l'information dans leurs mots et je remplis ma grille géante en écriture partagée (les élèves dictent et moi j'écris). Je leur rappelle souvent l'importance de reformuler l'idée de l'auteur avec d'autres mots.

Lorsque la modélisation est bien faite, il devient plus facile ensuite pour les enfants d'effectuer leur propre recherche à l'aide d'une grille (voir à la page 114 la recherche sur les ours). De plus, cette grille simplifiera grandement la rédaction du rapport de recherche.

Note

Certains enseignants suggèrent aux élèves de noter les informations en abrégé. Avec de jeunes élèves, je trouve plus efficace de rédiger immédiatement des phrases complètes sur le tableau de compilation. Par la suite, la rédaction du texte s'en trouve facilitée : les élèves n'ont qu'à mettre leurs phrases en ordre.

Il est à noter qu'à cette étape nous ne corrigeons pas les fautes d'orthographe sur la grille des élèves. La correction se fera à l'étape de la rédaction du rapport de recherche. Toutefois, je me sers des grilles non corrigées pour préparer mes leçons d'écriture.

Quatrième étape : La communication des résultats (Je communique mes découvertes)

La communication aux pairs

À la fin de chacune des périodes que l'on consacre à chercher et à amasser l'information, je réserve un moment d'échange entre les pairs. Je demande aux membres de chaque équipe de dire aux autres ce qu'ils ont appris de nouveau.

La rédaction du rapport de recherche

Le rapport est rédigé à l'aide de la grille où l'information est compilée. Chaque équipe rédige sa partie du rapport, la corrige et la tape à l'ordinateur.

La communication au public

Chaque année, mes élèves présentent leur recherche lors d'une expo-sciences. Je ne choisis jamais les meilleurs candidats. Tous les élèves ont participé au projet, alors tous les élèves participent également à la présentation de leurs résultats. Ils sont tellement fiers d'eux, tellement heureux de montrer leur savoir. Je ne priverai jamais aucun enfant de ce plaisir.

Tranche de vie

Mes élèves participent régulièrement au Festival des sciences de ma commission scolaire. Les règles de ce festival sont strictes : pas plus de deux candidats par kiosque. Je dois alors préparer un horaire très serré pour favoriser une rotation de tous mes élèves au kiosque. Chaque enfant passe ainsi au moins une heure au stand à présenter sa recherche. Pour moi, c'est un gros travail de logistique. Certains parents ne peuvent accompagner leurs enfants au festival, qui a lieu au centre-ville de Montréal. D'autres parents plus disponibles acceptent généreusement d'accompagner ces enfants en plus des leurs. Chaque année, je me casse la tête pour organiser tout ça. Les soucis que cela m'occasionne me portent chaque fois à remettre en question la participation de ma classe au festival.

Puis, je vois arriver Estéban qui s'est mis particulièrement beau pour venir parler des mammifères marins... Naëva qui a mis sa plus jolie robe à fleurs pour parler de la Lune... et tous ces regards allumés et déterminés. Les enfants sont heureux de communiquer leurs découvertes au public et aux membres de leurs familles. Je me laisse alors séduire et je savoure ce plaisir que j'ai de les voir si formidables. Tous. Et je comprends alors pourquoi, chaque année, je me relance à corps perdu dans un nouveau projet d'une telle ampleur. Je me dis qu'il s'agit parfois d'une étincelle pour allumer l'intérêt d'un élève qui, autrement, pourrait facilement être relégué aux oubliettes.

Des exemples de recherches

Je donnerai dans les lignes qui suivent quatre exemples de recherches que j'ai expérimentées en classe avec mes élèves. Je ne fonctionne pas toujours de la même manière d'une année à l'autre. J'essaie de m'adapter au sujet traité et aux besoins du moment. Au début de l'année, j'ai une idée de la direction que je veux donner au projet, mais je ne connais jamais complètement la route que je suivrai. Je ferai face aux difficultés en chemin : je trouverai des solutions et je m'adapterai au fur et à mesure de nos découvertes. Je suis une « facilitatrice ». J'essaie de fournir aux élèves des outils de travail qui les aideront à trouver les informations qu'ils cherchent et à les organiser le mieux possible.

Les ours

Ce sujet n'a pas été proposé par mes élèves, mais je leur ai offert la possibilité de choisir parmi quatre sortes d'ours. J'ai choisi ce sujet pour deux raisons. Premièrement, je souhaitais traiter du comportement animal (l'univers vivant) avec mes élèves, puis je tenais à faire un lien entre notre recherche scientifique annuelle et les histoires. Comme il existe de nombreuses histoires d'ours, ce sujet me semblait fort approprié à ce genre d'exercice.

Avant d'entrer dans le vif du sujet avec mes élèves, j'ai d'abord modélisé une recherche sur le chien (voir les explications précédentes à la page 111). Nous avons amassé l'information (grille géante) collectivement puis nous avons rédigé un mini-rapport sur le chien sur du papier grand format (écriture partagée) à partir des informations recueillies. Je rappelle que la modélisation est essentielle pour que les enfants puissent observer, comprendre et adopter une méthode de travail efficace en science.

La formation des équipes

J'ai divisé le sujet en quatre sous-thèmes : l'ours brun, l'ours blanc, l'ours noir et le panda. Les enfants ont choisi leur ours préféré. Quatre équipes (de quatre ou cinq élèves) se sont donc formées. Aujourd'hui, si c'était à refaire, je formerais des équipes de deux enfants et je diviserais le sujet autrement : deux équipes pourraient très bien traiter du même ours et se partager les catégories d'informations. Bien que chaque élève ait eu une tâche particulière à accomplir, j'ai trouvé que les équipes étaient un peu trop grosses. J'apprends de mes erreurs.

La recherche

Nous avons d'abord discuté de nos connaissances (ou de ce que nous croyions savoir) sur les ours. Puis, nous avons déterminé ensemble cinq catégories d'informations à partir des questions que se posaient les élèves sur les ours :

- la description (les caractéristiques physiques) ;
- l'habitat ;
- la nourriture ;
- les petits ;
- les faits intéressants.

À l'aide des livres que j'ai mis à leur disposition, les équipes ont rempli une grille de cueillette des informations, puis rédigé un rapport qu'ils ont corrigé et tapé à l'ordinateur. Au fur et à mesure de la recherche, les élèves ont partagé leurs nouvelles connaissances entre eux. Il m'apparaît très important de prévoir un temps d'échange à la fin de chaque période de travail.

Un exemple d'une grille remplie par les élèves

Les recherches documentaires

Les liens avec la littérature

Une fois la recherche complétée, les enfants étaient capables de faire la distinction entre le vrai et le faux dans les histoires d'ours. Nous avons donc réalisé une étude littéraire collective sur le thème des ours dans les histoires.

Pour l'étude littéraire, j'ai choisi quatre histoires :

- *Boucle d'Or et les Trois Ours* de Charlotte Roederer (Éditions Nathan, 1997) ;

- *Pi-shu le petit panda* de John Butler (Éditions Gauthier-Languereau, 2001) ;

- *Quel est ce bruit ?* de Michèle Lemieux (Éditions Scholastic, 1991) ;

- *Le voyage de Plume* de Hans de Beer (Éditions Nord-Sud, 1995.

Pendant la lecture aux élèves, j'ai animé des discussions sur le vrai et le faux dans les histoires : « Qu'est-ce que l'auteur sait sur les ours ? Qu'est-ce qu'il a inventé ? »

Puis, nous avons rempli une grille géante pour compiler nos observations.

Cette étude a fait partie de notre rapport de recherche. Nous avons terminé le tout par la rédaction collective de l'introduction et de la conclusion du rapport.

Notre étude littéraire sur le thème des ours

La réalisation artistique

Pour compléter leur recherche et préparer les affiches pour l'expo-sciences, les élèves ont peint leur ours à partir des informations scientifiques qu'ils avaient acquises sur l'animal. Quel bonheur !

Anne-Sophie et Elena
au Festival des sciences
de la Commission scolaire
de Montréal

Tranche de vie

J'adore intégrer les arts plastiques à nos activités de français et de science. J'ai ainsi le sentiment d'offrir à mes élèves une formation vraiment complète, où la science et les arts se rencontrent. À cet égard, mes élèves et moi devons énormément à Liliane D'aoust, professeure d'arts plastiques de mon école. Chaque année, elle accepte de participer aux différents projets que je mets sur pied avec mes élèves. De façon admirable, Liliane amène les enfants à exprimer artistiquement des concepts scientifiques. Elle et moi formons une formidable équipe : je m'assure de l'exactitude scientifique de l'œuvre et Liliane s'occupe de la partie artistique. Nous sommes un modèle de travail en équipe pour les enfants.

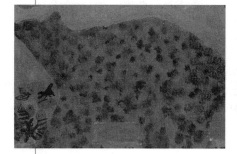

Une peinture d'un ours
réalisée par Christine

Une page du journal scientifique de Rosalie

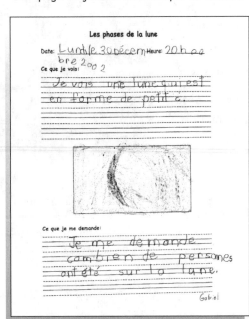

Une page du journal de Gabriel

La Lune

Pour ce thème, je me suis inspirée d'un article lu sur Internet[8]. Une enseignante américaine y racontait une expérience fascinante vécue avec ses jeunes élèves sur le thème de la Lune. J'ai entrepris le projet au mois de novembre avec mes élèves. Nous y avons travaillé régulièrement jusqu'en mai. Au départ, je ne connaissais pas l'ampleur que cela prendrait. Je savais comment nous allions amorcer le projet, mais je n'en connaissais pas encore toutes les ramifications possibles. Oh… et… je ne savais à peu près rien sur la Lune…

Les objets dans le ciel

Dès le mois de novembre, les enfants ont observé le ciel de jour et de soir. Chaque matin pendant deux semaines, nous sortions dans la cour de l'école pour regarder le ciel et discuter de ce qu'on y voyait. Guidés par mes questions, les élèves étaient ensuite invités à décrire leurs observations pendant la période d'écriture quotidienne (voir l'annexe F-1):

- Quels sont les objets que tu vois?

- Est-ce qu'ils bougent? Comment bougent-ils?

- Quels sont les objets que tu pourrais voir la nuit?

- Qu'est-ce qui sera encore dans le ciel ce soir?

- Qu'est-ce qui sera encore dans le ciel demain?

À la maison, le soir, les élèves devaient également observer les objets dans le ciel et écrire une page de leur journal scientifique. Chaque matin, je prévoyais un temps d'échange sur nos observations. Après quelques jours, les élèves ont constaté que la Lune changeait de forme. Ils ont commencé à se questionner à ce sujet. Nous avons donc porté notre attention sur les phases de la Lune.

Les phases de la Lune

Toujours à la maison, jusqu'en janvier, les élèves devaient observer la Lune et noter leurs observations (ce que je vois) et leurs questionnements (ce que je me demande) dans leur journal scientifique (voir l'annexe F-2). Avec le temps, je me suis rendu compte que les questions des élèves se sont approfondies. En voici quelques exemples:

« Je me demande si la Lune est très loin de la Terre. » (Camille)

« Pourquoi la Lune prend-elle des formes différentes? » (Aude-Albert)

---

8. Roberts, D. (1999). «The Sky's the Limit». *Science and Children* (septembre 1999), p. 33-37.

«Je me demande comment on se déplace sur la Lune.» (Rosalie)

«Pourquoi y a-t-il des trous dans la Lune?» (Annabelle)

«Sur la Lune, est-ce qu'il y a de la vie?» (Marie-Ève)

«Je me demande combien de personnes ont été sur la Lune.» (Gabriel)

En plus de nos échanges quotidiens, un élève dessinait chaque matin sur un calendrier la Lune telle qu'il l'avait observée la veille. Grâce à ce calendrier, les enfants ont vu très rapidement la régularité des phases de la Lune. Au fil du temps, j'ai introduit le vocabulaire lié à chacune des phases principales : nouvelle lune, premier quartier, dernier quartier, pleine lune.

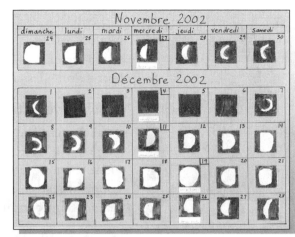
Le calendrier des phases de la Lune

La trousse d'exploration de la Lune

Lorsque l'on se donne la peine de chercher un peu, on découvre parfois, dans notre communauté, des ressources pédagogiques fort intéressantes. À titre d'exemple, le Planétarium de Montréal loue à peu de frais une trousse d'exploration de la Lune qui contient le matériel nécessaire à une multitude d'activités fascinantes. Ces activités nous permettent de nous familiariser de façon ludique avec les différents aspects de la Lune. Un bijou pour les enfants et pour l'enseignante, qui a grandement bénéficié du guide pédagogique d'accompagnement pour prendre quelques jours d'avance sur ses élèves...

Les sous-thèmes

À partir des questions relevées dans les journaux scientifiques de mes élèves, j'ai établi quatre catégories générales d'informations :

- les caractéristiques de la Lune ;
- les phases de la Lune ;
- la Lune et la Terre ;
- la visite des êtres humains sur la Lune.

Ces quatre catégories couvrent toutes les questions posées par les enfants. De manière à bien organiser l'information, j'ai préparé quatre grandes affiches titrées au nom de chacune des catégories établies.

J'ai d'abord modélisé la lecture d'un ouvrage scientifique sur la Lune et la cueillette des informations. Puis, en équipes de deux, les enfants ont recueilli l'information pertinente dans les ouvrages mis à leur disposition. Chaque renseignement devait être écrit sur une petite feuille qui était ensuite collée sur l'affiche appropriée[9].

L'organisation de l'information par Marie-Ève

---

9. Il existe un dévidoir de colle temporaire que l'on peut appliquer derrière les feuilles de renseignements. Cette colle nous est très utile pour déplacer les feuilles lorsque celles-ci ne sont pas classées au bon endroit sur les affiches.

Zaki et sa maman lors
de la soirée de lecture
en pyjama

La rédaction du rapport

Nous avons rédigé le rapport final collectivement en écriture partagée (les élèves dictent et j'écris) à partir des informations collées sur les affiches. À tour de rôle, les enfants ont tapé le texte à l'ordinateur.

La soirée de lecture en pyjama

Parallèlement à la rédaction du rapport, nous avons invité parents et enfants à une soirée de lecture en pyjama au gymnase de l'école. Des livres de fiction sur le thème de la Lune étaient à l'honneur. Au moment du départ, nous sommes tous sortis dans la cour de l'école sous un ciel complètement dégagé, où une Lune magnifique était fidèle au rendez-vous.

La phase de la Lune le jour de mon anniversaire

Il existe un site Internet où l'on peut découvrir quelle sera la phase de la Lune à une date précise (US Naval Observatory). C'est particulièrement amusant

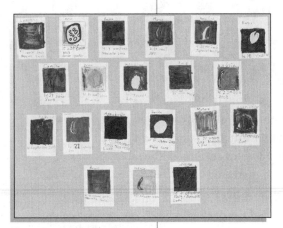

La Lune le jour de
mon anniversaire

pour chaque enfant de trouver à quoi ressemblera la Lune le jour de son prochain anniversaire. Sur un petit carton, il écrit son nom et la date de son anniversaire. Puis, il dessine la Lune et en précise la phase. Tous les cartons peuvent être collés sur une grande affiche.

Les poèmes lunaires

À l'occasion de l'étude sur l'auteur Gilles Tibo (voir le chapitre 5), chaque enfant a écrit un poème à partir de ses connaissances sur la Lune et l'a illustré dans le cadre du cours d'arts plastiques. Nous avons ainsi fabriqué un grand livre rassemblant tous les poèmes des élèves de la classe.

Les mammifères marins du Saint-Laurent

Ce sujet a été proposé par une élève de la classe à la suite de ses vacances passées au bord du golfe du Saint-Laurent. Avant d'accepter sa suggestion, j'ai bien vérifié qu'il existait des livres pour enfants sur ce sujet. Une fois les vérifications faites, Camille a pu soumettre son idée aux élèves de la classe.

La recherche collective modélisée

Cette fois, pour modéliser la façon d'effectuer une recherche dans les livres, j'ai décidé de commencer le projet par une recherche collective sur les caractéristiques communes à tous les mammifères marins. Nous nous sommes concentrés sur leurs caractéristiques physiques, leur nourriture, leur façon de se déplacer, leurs petits et quelques faits intéressants les concernant. Ensemble, nous avons rempli une grille géante de cueillette des informations.

La recherche en équipes

Dans le golfe du Saint-Laurent, il y a des baleines, des dauphins et des phoques. Les dyades se sont formées à partir de l'intérêt qu'avait chaque enfant à travailler sur l'un ou l'autre de ces mammifères marins. Je me suis assurée d'un bon jumelage des enfants puis, à partir de leurs questions, j'ai réparti les catégories d'informations suivantes entre les équipes : les caractéristiques physiques, la nourriture, la communication, le comportement social, les petits et la longévité.

La rencontre avec une intervenante

En cherchant un peu, j'ai réussi à dénicher une spécialiste des baleines. Mme Évelyne Daigle, biologiste, animatrice scientifique et auteure du livre *Tant qu'il y aura des baleines*, est venue passer un après-midi en classe pour nous entretenir de son expérience avec les mammifères marins. Une rencontre fantastique qui a permis aux enfants de parfaire leurs connaissances acquises dans les livres.

Note

Lorsqu'il est possible de le faire, j'invite un intervenant scientifique en classe pour qu'il vienne nous entretenir du sujet de notre recherche. J'attends que la recherche soit bien enclenchée et que les enfants aient acquis certaines connaissances avant de recevoir cette personne. Ainsi, les élèves peuvent lui poser toutes les questions demeurées sans réponse et confirmer les informations trouvées dans les livres. Ces rencontres sont toujours très enrichissantes. Souvent, les intervenants apportent du matériel en classe, ce qui aide à l'assimilation des connaissances. Les visites d'intervenants scientifiques contribuent indéniablement à parfaire le travail de recherche des enfants.

La rédaction du rapport

Chaque équipe était responsable d'écrire, de corriger et de taper sa partie à l'ordinateur. J'ai encouragé quotidiennement les élèves à partager leurs découvertes avec le reste du groupe. Puis, nous avons écrit une introduction et une conclusion en écriture partagée.

La réalisation d'une murale

En vue de leur exposé oral au Festival des sciences de notre commission scolaire, les élèves ont réalisé la murale d'un fond marin avec des baleines, des dauphins et des phoques, alliant ainsi notions scientifiques (les élèves devaient respecter les caractéristiques propres à chaque mammifère) et réalisation artistique (chacun représentait son animal de façon personnelle). Une véritable œuvre d'art!

Les élèves ont réalisé une murale représentant les mammifères marins du Saint-Laurent.

Tranche de vie

À la suite de notre recherche sur les mammifères marins du Saint-Laurent, plusieurs parents ont amené leur enfant au bord du fleuve. Certains de mes élèves ont eu la chance, pendant leurs vacances d'été, d'aller observer les baleines qu'ils avaient étudiées en classe. D'autres sont simplement allés se balader au Vieux-Port de Montréal pour regarder le fleuve et rêver aux mammifères qui s'y baignent au large. Béate, j'ai été ravie de constater la très grande complicité des parents et leur souci sincère de satisfaire à la curiosité et au très grand intérêt de leur enfant quant à leur sujet de recherche. Voilà ma récompense!

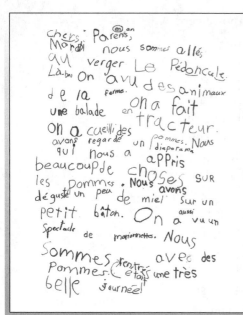

Une lettre aux parents

La pomme

La pomme: un sujet tout petit, tout simple… et pourtant immense à traiter! Je l'ai choisi pour enseigner entre autres les besoins de la plante (l'univers vivant) et les saisons.

Une activité d'initiation

À titre d'initiation au sujet, nous avons visité un verger. Ce type d'expérience concrète est formidable pour l'acquisition des connaissances et du vocabulaire par les élèves. Cela est particulièrement vrai pour les élèves qui ont été peu stimulés à la maison et les allophones qui ne connaissent pas très bien la langue française. Au retour, nous avons rédigé une lettre aux parents en écriture interactive (les élèves se passent le marqueur) pour raconter notre expérience.

« De la graine à la pomme », affiche réalisée par Samantha et Imane

Les sous-thèmes

À partir des questions des élèves, j'ai établi plusieurs sous-thèmes de recherche que les enfants se sont partagés:

■ De la graine à la pomme

Tous les élèves de la classe ont semé un pépin de pomme dans un petit pot rempli de terre pour bien comprendre les étapes de croissance de la plante et se familiariser avec ses besoins. Toutefois, seulement deux élèves ont approfondi cette partie du rapport de recherche.

■ Les parties de la fleur et de la pomme

Rachel et Frshta nous ont appris le nom et les fonctions des parties de la fleur et de la pomme.

■ La pollinisation

Sami et Ranya nous ont expliqué pourquoi l'abeille est essentielle à la pollinisation.

■ Le pommier au fil des saisons

Le pommier est un arbre formidable pour bien aider à saisir le changement des saisons. Markely et Patrick nous ont raconté les saisons à partir de la transformation du pommier.

■ Les insectes et la pomme

L'entomologiste Daniel Cormier est venu nous faire une présentation exceptionnelle des insectes utiles et nuisibles que l'on trouve dans les vergers. J'ai enregistré cette présentation pour qu'Elias et Louis-Philippe puissent l'écouter à nouveau et préciser certaines informations trouvées dans les livres.

■ La distribution et la conservation des pommes

Simon-Pierre et Symphorien ont expliqué comment les pommes sont conservées et distribuées.

■ Les pommes les plus populaires du Québec

Au Québec, nous avons nos préférences! Emy et Mohammad ont présenté les pommes que nous préférons.

■ La pomme et la santé

À partir du *Guide alimentaire canadien*, Tameika et Maria ont expliqué pourquoi il faut manger des pommes.

■ Des histoires de pommes

Caroline et Estéban ont raconté les histoires de Guillaume Tell, de Johnny Appleseed et d'Isaac Newton, tous des personnages célèbres dans la vie desquels la pomme a joué un rôle fondamental.

Louis-Philippe et Elias lors de l'expo-sciences sur la pomme

«Des histoires de pommes», affiche réalisée par Estéban et Caroline

Les activités parallèles à la recherche documentaire:

■ Est-ce que toutes les pommes ont le même nombre de pépins?

Pour se familiariser avec la démarche expérimentale, les enfants ont comparé le nombre de pépins dans les pommes (voir l'annexe F-3).

■ Les fruits préférés de la classe de...

Les enfants ont rédigé une question de sondage pour connaître les préférences des élèves de l'école (banane, orange, poire ou pomme). Ils ont fait la tournée des classes pour réaliser le sondage (chaque équipe était assignée à une classe). Ils ont ensuite dessiné un diagramme à bandes pour chacune des classes visitées et ont ainsi pu comparer les préférences d'une classe à l'autre.

Un expression illustrée

■ Des expressions

Les élèves ont illustré quelques expressions contenant le mot *pomme*:

Il lui chante la pomme.

Je suis haut comme trois pommes.

Je n'aime pas me faire prendre pour une pomme.

Il a les joues rondes comme une pomme.

Une pomme gâtée gâte toutes les autres.

Il tombe dans les pommes.

■ La composition d'une chanson

Pour couronner le tout, les élèves ont composé collectivement une chanson sur le thème de la pomme avec l'auteur-compositeur Bertrand Gosselin que nous avons invité à l'école.

Partie **3**

L'évaluation

Je me revois parfois dans ma classe d'antan devant des rangées de pupitres. Je me revois à la fin de chaque étape scolaire face à mes élèves de première année concentrés sur leur examen de lecture. Un seul et même test pour tous, bien sûr. Je présentais le texte à lire. J'expliquais la tâche. Puis, j'exigeais le silence. Certains enfants, incapables de lire le texte, s'agitaient sur leur chaise. D'autres s'évadaient dans les fissures du plafond. Au bout d'un certain laps de temps que je jugeais suffisant, je ramassais les feuilles que je notais le soir à la maison à l'aide d'un corrigé. Une seule bonne réponse par question. Sept sur dix : bien. Cinq sur dix : difficultés. Dix sur dix : Bravo! Zéro sur dix : Ne sait pas encore lire. B, C, A, D… Je remplissais mes bulletins à partir de ces résultats qui concordaient généralement avec les notes que j'aurais moi-même données aux élèves à partir de mes trop peu nombreuses observations en classe. La note au bulletin s'expliquait d'elle-même. Le parent n'avait qu'à regarder le résultat du test. Un examen formel me semblait alors la manière la plus objective d'évaluer et de comparer mes élèves.

Était-ce la meilleure façon de faire? Certainement pas. Qu'est-ce que ces résultats m'apprenaient sur chaque lecteur? Pas grand-chose, mis à part le fait que certains répondaient bien à une tâche de lecture alors que d'autres n'y arrivaient pas. En fait, ces examens ne m'informaient nullement sur le processus de lecture de chaque élève. Le zéro sur dix obtenu ne m'apprenait rien sur le lecteur lui-même. Pourquoi l'enfant n'avait-il pas été en mesure de lire le texte? Quelles stratégies lui faisaient défaut? Ses connaissances sur le sujet du texte étaient-elles limitées? Comment ajuster mon enseignement pour l'aider à progresser? Les tests formels et silencieux ne me suggéraient aucune piste sérieuse pour répondre à ces questions. Tout au plus me révélaient-ils une petite partie de ce que l'élève savait à un moment précis et dans un contexte particulier. À cette époque, je n'utilisais pas l'évaluation à bon escient.

Je sais maintenant que le but principal de l'évaluation est que j'amasse suffisamment d'informations sur les forces et les besoins de chaque élève pour ensuite ajuster mes interventions pédagogiques en conséquence. C'est surtout à cela que doit servir l'évaluation. Ce qui veut dire que mes leçons doivent être planifiées à partir de renseignements précis recueillis au jour le jour. J'évalue donc mes élèves au quotidien pour toujours savoir où ils en sont. Je collecte le plus d'informations possible sur chacun pour parfaire mes observations et m'assurer de la justesse de celles-ci. J'écoute mes élèves lire, je leur pose des questions, je les encourage à émettre des commentaires sur leurs lectures, j'analyse leurs écrits, je prends des notes... Nous sommes loin ici de l'évaluation périodique et formelle que je pratiquais auparavant. Bien sûr, je me fiais aussi à mes observations pour évaluer mes élèves, mais je ne collectais pas suffisamment de données spécifiques pour corroborer ces informations de façon vraiment réfléchie.

En plus de me servir à préparer mon enseignement, l'évaluation me sert à rendre compte de façon précise aux enfants, aux parents et, le cas échéant, à d'autres enseignants des progrès et des besoins de chacun au plan des apprentissages. Pas seulement par une note au bulletin, mais par des commentaires explicites qui dessinent un portrait clair de l'apprenant.

Au surplus, la pratique régulière de l'évaluation m'aide à parfaire ma propre connaissance de l'évolution du lecteur et du scripteur. J'ai beau avoir lu et lire encore des livres et des articles sur la littératie, c'est véritablement dans ma pratique quotidienne de l'évaluation que j'apprends encore le plus sur les progrès de l'enfant à cet égard. Je suis à même de reconnaître les différents stades par lesquels passent les jeunes lecteurs et scripteurs. Je cible de mieux en mieux leurs difficultés. Mon jugement s'affine au fil du temps. Ces connaissances que j'acquiers par la pratique font de moi une professionnelle qui se sent plus en mesure d'évaluer les forces et les faiblesses des programmes pédagogiques proposés par les différents intervenants du milieu scolaire. Elles me procurent les arguments nécessaires pour donner un avis éclairé sur toutes les décisions qui concernent mes élèves.

Chapitre **10**

L'évaluation de la lecture

Je n'évalue pas la compétence à lire des textes variés uniquement à la fin de chaque étape. J'essaie plutôt de le faire de façon continue dans la classe. Personnellement, je privilégie la période quotidienne de lecture autonome (et parfois de lecture guidée) pour évaluer les élèves. Je prends le temps de m'asseoir auprès de quelques élèves ciblés, de les écouter lire, de noter mes observations et de discuter avec eux de leurs lectures. Je rencontre ainsi tous mes élèves régulièrement.

J'évalue alors trois aspects de la lecture : l'identification des mots, la compréhension du texte et la fluidité. Pour les lecteurs en transition et les experts, qui décodent sans difficulté, je m'attarde particulièrement à la compréhension et à la fluidité. Et lorsqu'un enfant éprouve de grandes difficultés à décoder les mots, je vérifie s'il a acquis une bonne conscience phonologique. Par ailleurs, à quelques reprises dans l'année, j'évalue également l'attitude de mes élèves envers la lecture et je prends bonne note de leurs champs d'intérêt.

L'identification des mots

Pour évaluer la capacité de l'élève à utiliser les stratégies d'identification des mots, je fais l'analyse des méprises, c'est-à-dire que j'écoute l'enfant lire, je note ses méprises et je les analyse ensuite pour mieux les comprendre et pour pouvoir préparer ultérieurement des leçons appropriées. Le texte lu par l'élève doit présenter de légères difficultés de façon qu'il y ait méprise sur certains mots. Toutefois, le texte ne doit pas être trop difficile non plus. Il faut se rappeler que l'enfant doit pouvoir lire au moins 90 % des mots du texte puisque nous voulons éviter un sentiment de frustration de sa part. Il y a deux façons principales de recueillir les informations pour l'analyse des méprises : avec ou sans le texte.

L'analyse des méprises avec le texte

L'analyse des méprises avec le texte nécessite que j'aie devant moi une copie du texte que l'élève lit. Pendant que ce dernier lit, je note ses méprises sur ma copie. J'utilise alors un code simple (voir le tableau 10.1) qui me permettra ensuite de faire l'analyse des méprises relevées. Lorsque l'élève lit correctement un mot, je n'écris rien.

Tableau 10.1 | Le codage des méprises avec le texte

Méprise	Description	Code
Substitution	L'enfant remplace un mot par un autre.	faim Il a ~~peur~~
Omission	L'enfant omet de lire un ou plusieurs mots.	Il (a) peur
Insertion	L'enfant ajoute un ou plusieurs mots.	très Il a ⌄peur
Mauvaise prononciation	L'enfant se méprend sur le son d'une lettre ou sur une partie d'un mot.	pour Il a ~~peur~~
Inversion	L'enfant inverse l'ordre des mots.	Il a peur, dit | Anne
Répétition	L'enfant relit plusieurs fois un groupe de mots consécutifs.	Il a peur
Autocorrection	L'enfant corrige spontanément une erreur.	pour Il a ~~peur~~ Ⓒ
Aide de l'enseignant	L'enfant arrive à lire le mot lorsque l'enseignant le guide par des questions appropriées.	Il a ~~peur~~ Ⓐ
Lecture par l'enseignant	L'enfant attend que le professeur lise le mot à sa place.	Il a ~~peur~~ Ⓟ

Au fur et à mesure de la lecture, quand le rythme de l'élève ralentit, j'essaie de noter d'autres informations qui me seront utiles plus tard. Par exemple, si l'élève commente le texte, j'en prends note. S'il me démontre qu'il comprend le vocabulaire ou s'il nomme les stratégies qu'il utilise, je le note également. J'écris un maximum d'informations (pendant et après la lecture) de façon à dresser un portrait du lecteur qui sera le plus complet possible.

Pour se familiariser avec l'analyse des méprises et pour s'exercer à annoter le texte pendant la lecture, il peut être très utile d'avoir devant soi une copie du

L'évaluation de la lecture

texte que lit l'élève. Pour ma part, puisque je suis devenue assez habile avec l'analyse des méprises, je fais maintenant ce que l'on appelle «l'analyse des méprises en route» (sans le texte), dont il sera question au point suivant.

Tranche de vie

Au début, pour me familiariser avec la technique d'analyse des méprises, j'enregistrais mes élèves pendant la lecture. À ce moment, je ne faisais l'analyse des méprises que pour mes élèves en difficulté. J'annotais une copie du texte lu en écoutant l'enregistrement. Cela m'a permis de bien comprendre la technique et de la pratiquer. Le fait d'enregistrer un élève pendant qu'il lit peut l'intimider et rendre ainsi sa lecture plus hésitante. Ce n'est peut-être pas l'idéal, mais, ce faisant, j'ai pris de l'assurance et je suis devenue plus habile à utiliser cette technique. Maintenant, je me passe très bien du magnétophone et même du texte.

L'analyse des méprises en route (sans le texte)

J'adore cette technique! Elle me permet de faire l'analyse des méprises sans le texte que l'élève lit. Cela signifie que je peux la faire n'importe où et n'importe quand! Je n'ai qu'à avoir en main une feuille de papier et un crayon. Au début, la technique m'a semblé difficile, mais, avec le temps et la pratique, j'y suis arrivée. J'essaie maintenant de faire l'analyse des méprises en route quotidiennement.

Je m'assois à côté de l'enfant. Je dois voir le texte qu'il lit. Pour noter ses méprises, j'utilise sensiblement le même code que pour l'analyse des méprises avec le texte (voir le tableau 10.2). Toutefois, pour chaque mot lu correctement, je mets un crochet. Je m'assure également de suivre la structure du texte lorsque je prends mes notes. Par exemple, s'il y a six mots sur une ligne dans le livre, il y aura six crochets sur une ligne de ma feuille. Et lorsque l'élève change de page, je laisse un espace plus grand entre les lignes. De cette façon, je pourrai facilement me référer au livre par la suite. J'aurai besoin de le faire pour copier les mots du texte qui n'auront pas été bien lus puisque, pendant la lecture, je ne note que les méprises de l'élève, c'est-à-dire les mots tels qu'ils sont lus. Si la lecture de l'élève est très lente, j'arrive parfois à recopier les mots du texte en plus des méprises, mais, la plupart du temps, dans le feu de l'action, je n'ai pas le temps de tout faire. Je prends donc une minute après la rencontre pour noter les informations manquantes à l'aide du livre.

Tableau 10.2 | Le codage des méprises sans le texte

Méprise	Description	Code
Aucune	L'enfant lit le mot correctement.	√
Substitution	L'enfant remplace un mot par un autre.	faim (mot lu par l'élève) / peur (mot du texte)
Omission	L'enfant omet de lire un ou plusieurs mots.	— / a (mot du texte)
Insertion	L'enfant ajoute un ou plusieurs mots.	très (mot lu par l'élève) / —
Mauvaise prononciation	L'enfant se méprend sur le son d'une lettre ou sur une partie d'un mot.	pour (mot lu par l'élève) / peur (mot du texte)
Inversion	L'enfant inverse l'ordre des mots.	√ √
Répétition	L'enfant relit plusieurs fois un groupe de mots consécutifs.	√ √ √
Autocorrection	L'enfant corrige spontanément une erreur.	pour / peur ©
Aide de l'enseignant	L'enfant arrive à lire le mot lorsque l'enseignant le guide par des questions appropriées.	— / peur Ⓐ
Lecture par l'enseignant	L'enfant attend que le professeur lise le mot à sa place.	— / peur Ⓟ

Ce n'est pas tout de noter les méprises de l'élève. Il faut aussi que j'en fasse l'analyse pour découvrir les stratégies qui ne sont pas maîtrisées et pour préparer des leçons en conséquence. Je dois vérifier si l'élève utilise adéquatement les indices sémantiques, syntaxiques et visuels lorsqu'il lit. Voici deux exemples d'analyse des méprises.

Louis-Philippe éprouve quelques difficultés à utiliser la stratégie graphophonétique (indices visuels). Toutefois il reconnaît généralement ses méprises et cherche à trouver des mots qui ont du sens dans les phrases (indices sémantiques). Il fait d'ailleurs une substitution logique (il lit *ton cadeau* au lieu de *la boîte*) en se servant de l'image (indices visuels). Il se sert bien des indices syntaxiques. Il commente allègrement le texte et fait des prédictions sur la suite de l'histoire au fil de sa lecture. Cela m'indique qu'il a une excellente compréhension du texte. Il nomme naturellement les stratégies qu'il utilise et se ravise sur celles qu'il emploie inutilement. Cela montre qu'il est en train de consolider sa capacité à croiser les différents indices du texte. Avec Louis-Philippe, je dois donc enseigner plus à fond la stratégie graphophonétique (puisque certains sons ne sont pas encore acquis) et l'inciter à développer sa fluidité par la relecture de livrets faciles à lire.

L'analyse des méprises de Louis-Philippe

Nouha ne peut lire correctement que 88 % des mots du texte. Ce texte est donc un peu trop difficile pour elle. Je dois lui choisir des livres de niveaux inférieurs pour la lecture guidée. Nouha éprouve de la difficulté avec les trois systèmes d'indices : elle ne cherche pas toujours à trouver des mots qui ont du sens dans la phrase (indices sémantiques), n'utilise pas les indices syntaxiques à bon escient et n'attaque pas toujours la première lettre correctement (elle confond certains sons). Elle se fie un peu trop à la stratégie graphophonétique qu'elle ne maîtrise pas encore très bien et néglige de croiser tous les indices. Je l'amènerai donc à utiliser davantage le contexte et la syntaxe pour tenter de prévoir les mots, tout en continuant de lui enseigner en parallèle la correspondance entre les sons et les lettres. Je vérifierai également si elle a acquis une bonne conscience phonologique.

L'analyse des méprises de Nouha

La compréhension du texte

Il arrive que certains de mes élèves identifient parfaitement bien tous les mots d'un texte mais ne comprennent pas ce qu'ils lisent. Ils décodent sans aucune difficulté, mais sont incapables de me raconter ce qu'ils viennent de lire ou de répondre à des questions factuelles choisies. Il est donc très important que j'évalue cet aspect de la lecture et que je prenne les mesures qui s'imposent pour accroître leur niveau de compréhension des textes lus.

Comme pour l'analyse des méprises, je m'intéresse davantage au processus de compréhension qu'au produit. Je ne remets pas une liste de questions auxquelles les élèves doivent répondre en silence ; j'évalue plutôt la compréhension d'un texte lors d'une rencontre individuelle. Cette évaluation suit parfois l'analyse des méprises.

Le questionnement

Pendant la lecture à voix haute, j'utilise le questionnement pour vérifier la compréhension du vocabulaire et du récit. J'engage ainsi une discussion avec l'élève. C'est souvent l'élève lui-même qui stimule mon questionnement par ses commentaires spontanés :

THOMAS : Ouf !... Ils [les personnages de l'histoire] ne sont pas arrivés en retard à l'école...

MOI : Comment le sais-tu ?

THOMAS : Il y a des enfants qui jouent au ballon dans la cour d'école.

(Thomas utilise les indices visuels de l'illustration.)

MOI : Félix a l'air content !

THOMAS : Oui, comme ça il pourra jouer au ballon avec eux.

(Il fait une inférence.)

Cette discussion spontanée m'informe naturellement de la capacité qu'a Thomas à comprendre les faits et à faire des inférences.

Avec un lecteur moins loquace que Thomas, j'utilise souvent le questionnement pour vérifier la compréhension factuelle de l'élève. Je prépare à l'avance une série de questions dont les réponses sont facilement repérables dans le texte. Puis, je pose une ou deux questions d'inférence, pour lesquelles l'élève devra utiliser son jugement et trouver une réponse à partir du texte. Cette rencontre individuelle me permet de comprendre pourquoi un enfant éprouve de la difficulté à répondre à mes questions. Y a-t-il des mots qu'il ne comprend pas? Parfois, le simple fait de reformuler la question aide l'élève à mieux la comprendre. S'il est difficile pour lui de mémoriser les événements du récit, je l'inciterai à relire le texte.

Le rappel du récit

Voici la technique que je préfère utiliser pour évaluer la compréhension en lecture : je demande à l'élève de me raconter l'histoire lue. Dans ma classe, cette évaluation peut se faire à tout moment, par exemple chaque fois qu'un élève propose de présenter un livre à la classe. Je lui demande de nous raconter tous les événements du récit. L'évaluation de sa compréhension du texte se fait alors sans stress, le plus naturellement du monde.

Je vérifie ainsi que tous les éléments du schéma du récit sont présents dans le rappel :

- lieu et temps ;
- personnages ;
- événements (problème et solution) ;
- séquence logique.

Je demande aussi aux élèves de préciser quelques détails concernant l'histoire. Ici encore, je me permets de questionner l'élève pendant le rappel pour le remettre sur la piste lorsqu'il s'égare :

- Où et quand se passe cette histoire ?
- Quels sont les autres personnages de l'histoire ?
- Quel est le problème du personnage principal dans cette histoire ?
- Comment règle-t-il son problème ?
- Qu'arrive-t-il ensuite ?

Le cercle de lecture que j'anime régulièrement avec mes lecteurs les plus expérimentés représente un autre moment formidable pour l'évaluation de la compréhension de textes. Malgré le chaos qui peut parfois émerger de ces discussions entre les élèves (comme dans nos propres salons, les commentaires des jeunes lecteurs se multiplient rapidement!), j'arrive à découvrir clairement les forces et les besoins de chacun en ce qui a trait à la compréhension.

La fluidité

Je l'ai déjà mentionné, une lecture fluide aidera le lecteur à mieux comprendre ce qu'il lit. Est-ce que l'élève lit de façon fluide, mot à mot ou de façon saccadée? Je dois noter mes observations et guider le lecteur qui n'a pas une lecture fluide vers la relecture de livres connus et la lecture de livres faciles pour lui.

La conscience phonologique

Lorsqu'un élève éprouve de grandes difficultés à reconnaître les mots, je vérifie s'il a acquis une bonne conscience phonologique. Je veux savoir s'il est capable de reconnaître et de reproduire les sons du langage parlé. J'évalue donc sa capacité à trouver oralement des rimes, à défaire un mot en syllabes, à trouver les sons initiaux et finaux des mots, et à fusionner et à segmenter les phonèmes (voir l'annexe G-1). Je vérifie également sa connaissance des lettres de l'alphabet et sa capacité à associer les sons et les lettres. À la suite de cette évaluation, je prépare les leçons requises.

L'attitude et les champs d'intérêt de l'élève

L'attitude que l'élève a envers la lecture est un facteur déterminant de sa réussite. Il est donc important pour moi de savoir comment se sentent mes élèves dans les différentes activités de lecture que je leur propose en classe et dans celles qu'ils vivent à la maison. En collaboration avec les parents, je peux ainsi tenter de trouver des solutions pour qu'ils se sentent le plus souvent contents de lire.

Pour évaluer leur attitude par rapport à la lecture, j'utilise un formulaire que je demande aux enfants de remplir le plus honnêtement possible (voir l'annexe G-2). Je sais toutefois que certains élèves, voulant me faire plaisir, mentent parfois à certains égards. Je me sers donc également de mes observations en classe pour corroborer leurs réponses écrites. De plus, lors de rencontres individuelles, j'essaie d'en savoir plus sur les malaises qu'ils peuvent ressentir dans certaines situations lorsqu'ils lisent.

Il m'importe de satisfaire aux goûts de mes élèves. Je les questionne donc régulièrement à ce sujet (voir l'annexe G-3). Bien sûr, il n'est pas toujours faisable de trouver des livres adaptés à de jeunes lecteurs sur tous les sujets qu'ils préfèrent, mais je m'efforce d'en dénicher. Je veux qu'ils aiment lire!

Tranche de vie

Aux questions *Aimes-tu les histoires que tu lis en classe ?* et *Aimes-tu les livres que tu apportes à la maison ?*, Dérek avait répondu qu'il ne les aimait pas beaucoup. J'ai voulu en savoir un peu plus. Lors d'une rencontre individuelle, l'enfant m'a expliqué candidement qu'il préférait les livres pour apprendre, les livres drôles et les livres de peur. J'ai donc fait l'effort de lui proposer le plus souvent possible ce type de lectures pendant les périodes de lecture guidée et de lecture autonome. Une semaine ou deux après cet ajustement, sa mère m'écrivait un petit mot pour me faire part du plaisir réel que Dérek avait maintenant à lire les livres qu'il apportait à la maison:

Dérek aime beaucoup les livres qu'il lit maintenant. Les sujets l'intéressent. Il prend plaisir à nous parler de ce qu'il lit. Bravo!

Jacinthe, maman de Dérek

Que demander de plus ?!

La communication aux parents

Je remets aux parents un portfolio contenant divers travaux de leur enfant en lecture (commentaires tirés du carnet de lecture, activités liées à l'étude d'un auteur, cartes sémantiques, etc.). À cela, je joins une grille qui indique quelles stratégies de lecture sont acquises par l'élève et lesquelles doivent être améliorées. J'utilise deux grilles, chacune étant adaptée au niveau du lecteur. Je dépose la première dans les portfolios des élèves apprentis et des élèves débutants (voir l'annexe G-4). Elle traite particulièrement des stratégies d'identification des mots. Je dépose la seconde dans les portfolios des lecteurs en transition et des lecteurs compétents (voir l'annexe G-5). Elle contient mon évaluation de leur lecture orale, de leur niveau de compréhension (par un rappel de l'histoire) et de leur fluidité.

Chapitre 11 | L'évaluation de l'écriture

Mon évaluation de l'écriture se fait de façon continue, comme pour la lecture. Je me sers de tous les textes écrits quotidiennement pour noter les forces et les difficultés de mes élèves. Je prépare aussi mes leçons en fonction de mes observations.

J'évalue la progression de mes scripteurs à partir des six traits d'écriture : les idées, l'organisation du texte, l'expression (ou la voix), le choix des mots, la structure des phrases et les conventions linguistiques. À cela s'ajoutera éventuellement l'évaluation du processus d'écriture. À cet égard, je vérifie si l'élève est capable de rédiger une ébauche, de réviser le contenu de son texte, d'utiliser adéquatement les stratégies de correction et de se rendre ainsi jusqu'à l'étape de diffusion.

Les étapes de progression des scripteurs

L'utilisation d'une grille (voir l'annexe H-1) m'aide à bien cerner les forces et les difficultés de mes élèves en écriture. Elle m'informe également sur la progression de chaque scripteur quant à la maîtrise des six traits.

Le scripteur à l'étape de l'expérimentation

Le scripteur qui expérimente se trouve à l'étape précommunicative. Il en est à ses premiers balbutiements au plan de l'écriture. Il griffonne des lettres au hasard et tente d'imiter la forme d'un texte. Il essaie d'écrire de gauche à droite et de haut en bas et n'applique pas encore les concepts de début et de fin. Il n'a aucune conscience du destinataire. Il n'écrit pas d'une main assurée. Il accorde plus d'importance aux dessins qu'aux mots. Il recopie des mots affichés et des lettres isolées et n'écrit pas encore de phrases. Comme ses lettres sont attachées de façon aléatoire, l'élève est le seul à pouvoir lire son texte.

Le scripteur apprenti

Le scripteur apprenti se trouve à l'étape semi-phonétique. Certains mots qu'il écrit sont reconnaissables, mais les dessins priment encore. L'élève écrit constamment de gauche à droite et de haut en bas. Il tente d'écrire un début, mais ne développe pas son texte. Il n'identifie pas encore très bien le destinataire de son texte et le traitement du sujet choisi est prévisible. Il choisit des mots affichés et tente parfois d'écrire des mots nouveaux. Les mots sont reconnaissables. Il écrit des phrases simples et répète la même structure d'une phrase à l'autre.

Au plan des conventions linguistiques, on peut observer un début de correspondance entre les sons et les lettres (exemple : *JM* pour *j'aime*). Toutefois, l'élève ne délimite pas encore ses phrases de façon appropriée, avec la majuscule et le point. Il entremêle les lettres majuscules et les minuscules, mais laisse généralement des espaces pour séparer les mots.

Le scripteur débutant

Le scripteur débutant traverse l'étape phonétique. Son texte commence à prendre forme. Il tente de raconter une histoire ou un fait, mais ses idées sont parfois un peu confuses. Des dessins supportent son texte. Il écrit un début, mais n'écrit pas encore de fin. Il essaie pourtant de suivre une séquence logique. Il a conscience du destinataire, répète des idées qui lui sont familières et exprime des sentiments qui sont prévisibles. Il n'a pas encore trouvé sa voix d'auteur.

Dans ses textes, le scripteur débutant utilise beaucoup de mots ordinaires et des mots nouveaux qui ne sont pas toujours appropriés. Il utilise des clichés et répète plusieurs fois les mêmes mots. Ses phrases débutent généralement de la même manière et sont presque toujours simples. Il est parfois difficile de les comprendre. Même si peu de mots courants sont orthographiés correctement, il est notable de voir apparaître les voyelles dans les mots nouveaux (par exemple, il écrit *dan le cile bleu* pour *dans le ciel bleu)*. Le scripteur débutant commence à utiliser la majuscule et le point pour délimiter ses phrases. Au plan calligraphique, sa main devient un peu plus assurée et le texte est lisible.

Le scripteur en transition

À l'étape transitoire, le scripteur est capable de raconter une histoire ou un fait. Il délimite généralement bien son sujet et certains détails agrémentent le texte. L'élève écrit un début et une fin et suit une séquence logique entre les deux. Il est capable de choisir un titre approprié. Il commence à trouver sa voix d'auteur. Il se soucie du destinataire, tente d'exprimer un point de vue personnel et rédige des textes expressifs. Il utilise correctement les mots qu'il préfère, choisit quelques mots nouveaux et tente d'utiliser des mots spécifiques. Il rédige des phrases simples et tente d'écrire des phrases complexes avec des débuts variés. Les mots contiennent maintenant l'ensemble des phonèmes. L'élève sait orthographier la plupart des mots courants et, en général, il utilise correctement la majuscule et le point pour délimiter ses phrases. Son texte est très lisible.

Le scripteur compétent

Rendu à l'étape conventionnelle, le scripteur est capable de développer des idées originales. Il délimite très bien ses sujets et agrémente ses textes de détails intéressants. Le titre qu'il choisit est original. Son texte est fluide. Il commence avec un début accrocheur et se termine avec une fin appropriée. L'auteur a trouvé sa voix. Son texte très vivant est empreint d'une variété d'émotions. L'intention du scripteur compétent est claire. Ce dernier se soucie pleinement du destinataire. Il choisit des mots originaux et précis et utilise correctement les mots courants. Il évite les répétitions et les clichés. Il rédige des phrases bien structurées dont le début et la longueur varient.

Le scripteur compétent connaît l'orthographe des mots courants et écrit presque parfaitement les autres mots. Il sait accorder le déterminant et le nom (féminin et pluriel). Il délimite parfaitement bien ses phrases par la majuscule et le point. De surcroît, il trace ses lettres de belle façon.

Note

J'ai remarqué que certains scripteurs peuvent se trouver à différentes étapes de leur apprentissage selon les différents traits. Par exemple, un scripteur pourrait très bien se trouver à l'étape transitoire au plan des idées et à l'étape phonétique en ce qui concerne les conventions linguistiques. La progression n'est donc pas nécessairement linéaire.

Le processus d'écriture

Lorsqu'un élève souhaite publier un texte, il doit suivre une procédure de correction. Au fur et à mesure de nos rencontres, je note mes observations sur la fiche qu'il remplit (voir l'annexe E-2). Ces notes me serviront à bien cerner ses besoins sur ce plan.

La communication aux parents

Au fil du temps, les élèves déposent quelques textes marquants dans leur portfolio. Ils en choisissent et j'en choisis également. Nous sélectionnons différents genres de textes. Je m'assure que les textes choisis sont représentatifs des capacités de l'élève.

À la fin de chaque étape, je dépose également une grille d'évaluation des six traits d'écriture (voir l'annexe H-1) dans le portfolio des élèves. Je joins aussi une grille d'évaluation du processus d'écriture (voir l'annexe H-2). Certains parents pourraient ne pas comprendre toutes les subtilités de ces grilles, alors j'inclus un résumé des faits saillants propres à chaque scripteur dans la partie « commentaires ».

Nom de l'élève: Dérek

ÉVALUATION DE L'ÉCRITURE / Étape no. 4

À l'étape d'expérimentation	Apprenti(e)	Débutant(e)	Compétant(e)	Expérimenté(e)
Idées ☐ Griffonne des lettres ☐ Tente d'imiter la forme d'un texte ☐ Les lettres sont écrites au hasard	**Idées** ☐ Certains mots sont reconnaissables ☐ Des dessins accompagnent les mots ☐ Accorde plus d'importance aux dessins	**Idées** ☐ Tente de raconter une histoire ou un fait ☐ Les dessins supportent le texte ☐ Certaines idées sont confuses	**Idées** ☐ Raconte une histoire ou un fait ☐ Sujet généralement bien délimité ☐ Présence de certains détails	**Idées** ☐ Idée originale ☑ Sujet très bien délimité ☑ Présence de détails intéressants
Organisation ☐ Tente d'écrire de gauche à droite ☐ Tente d'écrire de haut en bas ☐ N'applique pas encore le concept début-fin	**Organisation** ☐ Écrit constamment de gauche à droite ☐ Écrit constamment de haut en bas ☐ Tente d'écrire un début	**Organisation** ☐ Présence d'un titre ☐ Tente de suivre une séquence ☐ Présence d'un début mais absence de fin	**Organisation** ☑ Présence d'un titre approprié ☑ Présence d'une séquence logique ☑ Présence d'un début et d'une fin	**Organisation** ☐ Titre original ☐ Facile à suivre (fluide) ☐ Présence d'un début accrocheur et d'une fin appropriée
Expression ☐ Communique des émotions par dessins ☐ Réponse ambiguë à la tâche ☐ Aucune conscience du destinataire	**Expression** ☐ Traitement du sujet prévisible ☐ Présence d'une certaine atmosphère ☐ Le destinataire n'est pas bien identifié	**Expression** ☐ Exprime des sentiments prévisibles ☐ Répète des idées familières ☐ A conscience du destinataire	**Expression** ☐ Rédaction individuelle et expressive ☐ Tente d'exprimer un point de vue personnel ☐ Se soucie du destinataire	**Expression** ☑ Présence d'une variété d'émotions ☐ Expression d'un point de vue clair ☑ Se soucie pleinement du destinataire
Choix des mots ☐ Utilise des dessins à la place des mots ☐ Écrit des lettres au hasard ☐ Copie les mots affichés	**Choix des mots** ☐ Les mots sont reconnaissables ☐ Tente d'écrire des phrases ☐ Écrit correctement les mots affichés	**Choix des mots** ☐ Utilise des mots ordinaires ☐ Utilise des mots nouveaux non appropriés ☐ Utilise des clichés et des répétitions	**Choix des mots** ☐ Utilise correctement les mots courants ☐ Utilise quelques mots nouveaux ☐ Tente d'utiliser des mots spécifiques	**Choix des mots** ☑ Mots courants bien utilisés (généralement) ☑ Utilisation de mots originaux et précis ☐ Évite les répétitions et les clichés
Structure des phrases ☐ Écrit des mots et des lettres isolés ☐ Absence de phrases	**Structure des phrases** ☐ Aligne des mots pour faire des phrases ☐ Tente d'écrire des phrases simples ☐ La même structure de phrase se répète	**Structure des phrases** ☐ Utilise beaucoup de phrases simples ☐ Parfois difficile de comprendre ☐ Les débuts sont souvent similaires	**Structure des phrases** ☑ Présence de phrases simples ☑ Tente d'écrire des phrases complexes ☐ La plupart des débuts sont variés	**Structure des phrases** ☑ La structure des phrases est correcte ☑ Les phrases sont variées ☐ Les débuts de phrases sont variés
Orthographe ☐ Attache des lettres de façon aléatoire ☐ L'élève doit expliquer son texte	**Orthographe** ☐ Début de correspondances lettre-son / ex.: j t'm (je t'aime) ☐ Ponctuation aléatoire	**Orthographe** ☐ Apparition des voyelles dans les mots ex.: dan le cle bleu (dans le ciel bleu) ☑ Épellation correcte de peu de mots courants * ☐ Utilise la majuscule au début des phrases ☐ Met souvent le point à la fin des phrases	**Orthographe** ☑ Les mots contiennent *la plupart* des phonèmes ☑ Épellation correcte de la plupart des mots courants ☑ Utilisation généralement correcte de la majuscule et du point *et de la virgule!*	**Orthographe** ☐ Épellation correcte des mots courants et orthographe quasi standard des autres mots ☐ Orthographe grammaticale (pluriel, féminin, accord du déterminant et du nom) ☐ Utilisation correcte de la majuscule et du point
Calligraphie ☐ Essaie de tracer des lettres ☐ Tente de laisser des espaces	**Calligraphie** ☐ Entremêle les lettres minuscules et maj. ☐ Laisse des espaces entre les mots	**Calligraphie** ☐ Texte lisible * à consolider	**Calligraphie** ☑ Texte très lisible	**Calligraphie** ☐ Très belle calligraphie

Adapté de Assessment and Evaluation Program, Northwest Regional Educational Laboratory, Portland, Oregon

---

Nom de l'élève: Dérek

ÉVALUATION DU PROCESSUS D'ÉCRITURE / Étape no. 4

	Utilise cette stratégie	Utilise parfois cette stratégie	À développer
Rédaction d'une ébauche	✓		
Consultation des pairs et de l'enseignante	✓		
Révision du contenu		avec aide	
Correction (orthographe)		avec aide	
Diffusion	✓		

Notes:

Quel grand bonheur de lire les textes de Dérek! Wow! L'auteur a trouvé sa voix. Ses textes sont vivants, empreints d'émotions et très intéressants. Tout se met doucement en place. Quels progrès! Dérek sait même comment utiliser correctement la virgule (prévu au programme de 2e année): "Il est très beau, très vite et aussi un petit peu modifié." En 2e année, il faudra porter une attention spéciale à l'orthographe usuelle des mots.
C'est du beau boulot! Bravo Dérek!

Partie 4

L'organisation

Il est loin le temps des pupitres en rangées et de la tribune du professeur. Dans ma classe, j'ai voulu créer un climat chaleureux qui donne le goût à chacun de prendre sa place, un climat qui donne le goût d'apprendre. Petit à petit, j'ai amélioré mon environnement professionnel et ma pratique non seulement en partenariat avec mes collègues, mais aussi avec les parents de mes élèves.

Chapitre 12

L'organisation de la classe

J'essaie d'organiser ma classe de manière à faciliter la coopération et l'autonomie de mes élèves et pour qu'ils s'y sentent bien. Mon organisation n'est pas parfaite (je tente de l'améliorer chaque année), mais elle témoigne d'un intérêt marqué pour la lecture.

Tranche de vie

J'ai récemment reçu la visite d'une délégation d'enseignants venus spécialement d'Angleterre pour en savoir un peu plus sur le système éducatif québécois. À la suite de cette visite, Janis, l'une des enseignantes de la délégation, m'a révélé qu'en mettant le pied dans ma classe elle a tout de suite su que j'étais une passionnée de lecture comme elle (même si elle ne lit pas le français!). L'importance que j'accorde à l'enseignement de la lecture est donc très apparente dans l'aménagement de ma classe.

L'aménagement de la classe

Il y a quelques années, j'ai remplacé les pupitres placés en rangées par de grandes tables de travail. J'aime bien que les enfants puissent se voir pour discuter et s'entraider. Lorsqu'ils arrivent le matin, ils choisissent à quel endroit et avec qui ils souhaitent s'asseoir. Il n'y a donc pas de place prédéterminée pour chacun. Il peut arriver à l'occasion qu'un élève préfère s'asseoir à un pupitre à l'écart des autres. J'ai donc conservé deux pupitres que j'ai isolés dans un coin de la classe. Je précise que je me réserve toujours le droit de séparer certains enfants lorsque je le juge nécessaire...

Autour de l'espace de travail, j'ai aménagé des petits coins qui ont chacun leur spécificité (voir la figure 12.1). Il est ainsi très facile pour les élèves de s'y retrouver.

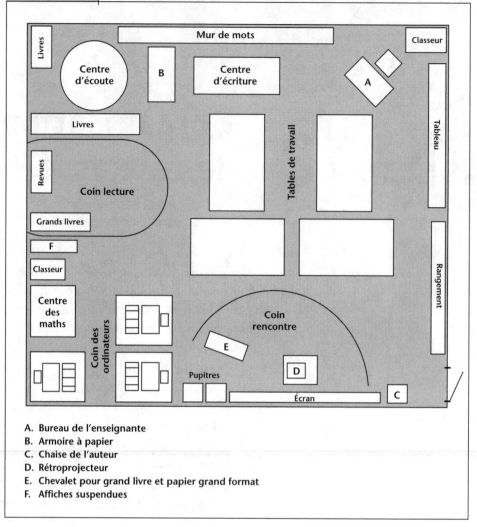

Figure 12.1 | Le plan de ma classe

A. Bureau de l'enseignante
B. Armoire à papier
C. Chaise de l'auteur
D. Rétroprojecteur
E. Chevalet pour grand livre et papier grand format
F. Affiches suspendues

Le coin lecture

Mon coin le plus important est celui dédié à la lecture. J'essaie de le rendre attrayant en l'agrémentant d'une jolie chaise, de tapis rigolos, de poufs et de coussins. Sur les murs et dans les fenêtres du coin lecture, j'ai apposé des affiches et des travaux d'enfants (leurs réactions à des lectures, par exemple). Sur le bord de la fenêtre, j'ai placé quelques petits chevalets sur lesquels je dépose chaque semaine les nouveaux titres que je présenterai aux élèves.

Ma bibliothèque de classe contient des documents de toutes sortes: des albums, des livres de type « premières lectures », des livrets gradués, des romans, des bandes dessinées, des documentaires, des dictionnaires et des revues. Je m'assure également d'offrir des livres pour chaque niveau de lecture de façon à répondre aux besoins de tous mes lecteurs (lecteurs apprentis, lecteurs débutants, lecteurs en transition et lecteurs compétents). C'est un critère important pour l'achat de nouveaux livres.

Le rangement des livres

Lorsque les livres de ma bibliothèque de classe étaient rangés sur des tablettes, il m'était très difficile de maintenir ce rangement. Je passais beaucoup de temps à reclasser les livres qui n'avaient pas été remis au bon endroit par mes élèves. Un certain désordre régnait alors. J'ai donc décidé de repenser mon système de rangement. Je classe maintenant les livres dans des paniers. Il est ainsi beaucoup plus facile de s'y retrouver et de garder la bibliothèque en ordre. Chacun des paniers est dûment identifié, soit au nom d'un auteur, soit par sujet, soit par niveau de difficulté. Ce système de paniers nous simplifie grandement la vie. Une bibliothèque bien ordonnée est plus attrayante et plus invitante pour les jeunes lecteurs. De plus, les enfants savent où trouver les livres qu'ils cherchent. Fini le capharnaüm !

Le coin lecture

Il est important de souligner que les enfants ont facilement accès à tous les livres du coin lecture. Ce coin leur appartient. Je veux qu'ils en profitent le plus possible.

Note

Aux États-Unis, j'ai visité plusieurs classes dans lesquelles se trouvait une mezzanine de lecture (*reading loft*). Il s'agit d'une plateforme aménagée avec des coussins, où les élèves peuvent grimper pour aller lire. La mezzanine permet un gain d'espace dans la classe et ajoute sûrement au plaisir de lire des élèves.

Tranche de vie

Lorsque je suis arrivée à l'école où j'enseigne actuellement, ma bibliothèque de classe était très pauvre en livres. À peine offrait-elle quelques ouvrages désuets. Les premières années, j'ai donc beaucoup compté sur ma bibliothèque de quartier, sur les ventes de débarras et sur la collaboration des parents. Certains d'entre eux ont parfois accepté de prêter à ma classe des collections complètes de livres. Au fil des ans, j'ai également revendiqué très fort l'allocation de budgets pour l'achat de livres. Ainsi, chaque petit montant reçu a servi (et sert toujours) à garnir davantage la bibliothèque de ma classe. Je continue de crier haut et fort nos besoins en livres et je suis souvent entendue par ma famille et mes amis, qui me font régulièrement don des albums et des romans que leurs plus vieux ne lisent plus. Grâce à ma patience, à ma ténacité et à la générosité de ceux qui m'entourent, mon coin lecture se raffine année après année.

Le centre d'écoute

Le centre d'écoute est adjacent au coin lecture. Les élèves peuvent y écouter et y lire des histoires. J'essaie d'enrichir ce coin par des livres-cassettes fabriqués par mes élèves. Ils adorent s'entendre lire!

Le coin rencontre

Je réserve un espace de la classe pour nos rencontres. C'est là où je donne généralement mes leçons de lecture et d'écriture. Les enfants prennent un coussin et s'assoient par terre pour la lecture partagée, la lecture guidée, l'enseignement des stratégies de lecture, l'écriture partagée, l'écriture interactive, etc. J'aime que nous soyons ainsi rassemblés.

Je m'assure d'avoir toujours à portée de main tout ce qu'il me faut pour enseigner. Dans ce coin, je garde donc en permanence mes outils de travail indispensables :

- un chevalet avec un bloc de papier grand format (pour écrire et pour déposer les grands livres qui serviront à la lecture partagée) ;
- des marqueurs ;
- un petit tableau blanc ;
- des lettres magnétiques ;
- un rétroprojecteur.

Le centre d'écriture

Au centre d'écriture, j'ai mis une grande table et une petite armoire dans laquelle se trouve tout le matériel nécessaire à l'écriture : des crayons de couleur, des ciseaux, une agrafeuse, du papier collant, du papier à lettre, du papier de bricolage, du carton, etc. Les enfants peuvent disposer de ce matériel à leur guise pour fabriquer des livres, écrire des lettres, faire des affiches, etc.

Le centre des mathématiques

Au centre des mathématiques se trouve le matériel de manipulation et les jeux mathématiques. Encore une fois, je m'assure que les enfants auront un accès facile à tous ces outils : le classeur dans lequel le matériel est rangé n'est pas fermé à clé!

Le coin des ordinateurs

Dès le début de l'année, je désigne un élève qui se chargera d'allumer et d'éteindre les ordinateurs chaque jour. Nous nous en servons souvent. Les utilisateurs les plus habiles et moi montrons rapidement aux autres comment se servir du traitement de texte et des différents logiciels, et comment accéder aux sites Web favoris. Je suis loin d'être la seule experte en informatique dans ma classe! Plusieurs de mes élèves sont très capables et très heureux d'aider les débutants à s'y retrouver. Dès que je le peux, je délègue!

L'horaire d'une journée type

Ma priorité est d'enseigner à lire et à écrire à mes tout-petits. Chaque jour, je consacre donc officiellement trois heures à la lecture et à l'écriture. Voici à quoi peut ressembler l'horaire d'une journée :

Avant-midi	**Après-midi**
Échanges sur nos coups de cœur (présentation de livres)	Mathématiques
Activités de lecture	*Récréation*
Récréation	Davantage de mathématiques, arts plastiques, musique, éducation physique ou atelier
Écriture	

Évidemment, les périodes animées par des spécialistes ne sont pas toujours à la fin de la journée, mais le temps consacré à chaque matière demeure sensiblement le même. La communication orale, la science et la technologie tout comme ce qui a trait à l'univers social sont intégrés aux périodes de lecture et d'écriture.

Les ateliers

La période des ateliers est un moment que les élèves aiment particulièrement. Pendant cette période (une ou deux fois par semaine), je leur propose cinq ateliers parmi lesquels ils doivent choisir. Voici les ateliers proposés.

L'atelier de lecture

L'élève peut prendre mon bâton « pointeur » et relire tout ce qui est affiché dans la classe. Il peut également s'installer confortablement au coin lecture et lire ce que bon lui semble. Certains se regroupent parfois pour m'imiter lorsque je lis le grand livre. Toutes les options sont possibles.

L'atelier d'écriture

Les élèves choisissent d'écrire ce qu'ils veulent à qui ils veulent. Ils se servent dans l'armoire à papier et utilisent tout le matériel dont ils ont besoin.

L'atelier d'informatique

Les élèves peuvent aller sur un site Web favori (j'en dresse une liste au début de l'année) ou utiliser un logiciel éducatif que j'aurai pris soin d'installer à l'avance sur l'ordinateur. Ils peuvent aussi décider de terminer de taper un travail qu'ils ont commencé dans les jours précédents.

L'atelier de mathématiques

Les élèves choisissent un jeu parmi ceux qui sont à leur disposition : jeux de stratégie, de cartes, de dés, bingo, casse-tête, blocs à construction, etc. Ils ont également accès à des feuilles d'exercices qui leur permettront de consolider certaines notions vues en classe.

Le centre d'écoute

Les enfants écoutent une histoire tout en lisant le livre (livre-cassette).

Généralement, je ne prépare pas de matériel particulier pour cette période. Comme il n'y a que 24 heures dans une journée, je préfère consacrer mon temps à d'autres activités que je considère comme plus utiles. Il n'y a pas non plus de rotation des élèves d'un atelier à l'autre. C'est un moment que je laisse complètement libre. Pendant le reste de la semaine, je décide de beaucoup de choses pour mes élèves. Quand c'est l'heure de lire, tout le monde lit. Quand c'est l'heure d'écrire, tout le monde écrit. Quand c'est l'heure de compter, tout le monde compte. Alors quand vient le temps des ateliers, je ne décide plus. L'élève qui adore l'informatique pourra toujours choisir d'aller au coin des ordinateurs lorsque le nombre de places le permet. Et celle qui aime écrire par-dessus tout pourra toujours choisir l'atelier d'écriture.

La seule contrainte pour les élèves, c'est qu'il n'y a qu'un certain nombre de places disponibles par atelier. Alors, les premiers choix se font sous forme de rotation, c'est-à-dire que ce ne sont pas toujours les mêmes qui choisissent leur atelier en premier. J'essaie de m'en tenir à un horaire de rotation préétabli.

Note

La période des ateliers m'est très utile. Je m'en sers pour revoir certaines notions avec des élèves ciblés. Parfois, je peux aussi en profiter pour reprendre une leçon avec un enfant qui s'est absenté. Toutefois, comme cette période est très appréciée de tous, j'essaie de ne pas l'utiliser entièrement à d'autres fins.

Chapitre 13 | La mise en œuvre graduelle de l'approche

Mon expérience

Lorsque je suis revenue des États-Unis, mes nouvelles connaissances en poche, j'ai choisi d'enseigner dans une classe de première année à l'école Saint-Benoît, qui accueille des élèves en majorité allophones et défavorisés. Je me retrouvais alors au sein d'une nouvelle équipe, dans un nouvel environnement. Comme à mon ancienne école, mes collègues utilisaient un matériel didactique connu et des cahiers d'exercices pour enseigner la lecture et l'écriture. Ma classe était donc équipée de manuels scolaires. L'école ayant dépensé de fortes sommes pour ces ouvrages, je n'avais d'autre choix que de les utiliser un tant soit peu. Je voulais également m'intégrer le mieux possible à mon équipe. J'espérais créer des liens professionnels intéressants et je me voyais mal imposer ma nouvelle approche à mes collègues. Je me suis ainsi fixé pour objectif de mettre en pratique lentement (mais sûrement!) l'approche que j'avais étudiée. J'avais la tête pleine de projets et je désirais ardemment expérimenter une approche équilibrée qui faciliterait la différenciation de mon enseignement en fonction des différents niveaux d'habileté retrouvés dans ma classe. Je souhaitais aussi inculquer le plaisir de lire et d'écrire chez mes élèves! J'étais pressée de tout changer rapidement, mais j'ai pris la décision d'y aller tranquillement, étape par étape, une action à la fois.

J'avais hâte de mettre au rancart les manuels scolaires et les cahiers d'exercices. J'avais vécu les frustrations d'un même manuel pour tous : trop difficile pour les lecteurs débutants, trop facile pour les lecteurs compétents. J'avais aussi vécu les frustrations des cahiers d'exercices, lesquels étaient très loin de véritables situations d'écriture. Que du remplissage de papier souvent sans intérêt! Je connaissais les lacunes de ce matériel, mais j'avais tout de même peur de lâcher prise. Peur de ne pas suivre une recette prescrite. Peur de ne pas enseigner toutes les compétences prévues au *Programme de formation de l'école québécoise*. Peur de ne pas être à la hauteur. Peur de m'isoler des enseignants de mon équipe. Malgré mes craintes et grâce à mes convictions profondes, j'ai tout doucement commencé à intégrer dans ma pratique pédagogique les activités de lecture et d'écriture présentées dans ce livre. Je ne pouvais tout simplement pas faire autrement. Il m'était impossible de faire abstraction de ce que j'avais appris de la recherche en littératie.

La lecture partagée

Pour l'activité de lecture partagée, j'ai d'abord utilisé certaines des affiches du matériel didactique prescrit. Les textes des affiches correspondaient à ceux du manuel scolaire. Ils ne possédaient pas toutes les caractéristiques du document parfait pour la lecture partagée, mais je m'en contentais au début. Je choisissais ceux qui me semblaient les plus appropriés (voir le chapitre 2). Comme je lisais ces textes avec mes élèves, je palliais leurs difficultés parfois trop grandes. Par ailleurs, je trouvais que la qualité générale de l'écriture laissait souvent à désirer. Les textes étaient fréquemment ternes et ennuyeux, dépourvus de belles histoires. J'ai donc peu à peu commencé à fabriquer des grands livres à partir de jolis albums mieux adaptés à la lecture partagée.

Je remplaçais régulièrement les affiches par mes grands livres. J'alternais. Puis, au bout d'une année, ma collègue Georgie et moi avions fabriqué suffisamment de grands livres pour commencer la nouvelle année sans avoir recours aux affiches. Nous avons donc rangé la plupart des affiches dans nos armoires. Il m'arrive parfois (rarement) d'en utiliser certaines qui traitent des thèmes que nous abordons en classe.

Par ailleurs, je ne me suis jamais référée au guide pédagogique qui faisait partie du matériel didactique de mon école. Je possédais suffisamment de connaissances pour faire ma propre planification. Au lieu de suivre bêtement des consignes prescrites, j'ai tout de suite commencé à mieux observer mes élèves pour préparer des leçons en fonction de leurs besoins respectifs véritables, et ce, toujours en tenant compte du *Programme de formation de l'école québécoise*.

La lecture guidée

J'étais encore en Arizona lorsque j'ai commencé à chercher des livrets de lecture gradués en français. J'ai dû me rendre à une bien triste évidence : à cette époque, il n'en existait aucun ! Rien de ce qui avait été édité dans le monde anglo-saxon n'avait encore été adapté dans ma langue. Je me suis donc tournée vers de vieux livrets de lecture de la collection « À mots découverts » empoussiérés et remisés au sous-sol de notre école. J'ai mis l'établissement sens dessus dessous pour trouver ces vieux documents dont plus personne ne voulait. Je me rappelais qu'au début des années 1980 beaucoup d'enseignants achetaient chaque titre en plusieurs exemplaires et que ces livrets étaient légèrement gradués. J'ai donc commencé l'activité de lecture guidée à l'aide de ces livrets.

Quelques mois plus tard, les premiers exemplaires de livrets gradués en français sont apparus sur le marché. J'étais très heureuse d'avoir enfin accès à un matériel parfaitement approprié à la lecture guidée. Nous avons d'abord acheté quelques exemplaires de ces livrets et nous les utilisions en alternance avec ceux de la collection « À mots découverts ». Il aura fallu quelques années avant de pouvoir vraiment remiser nos vieux livres au sous-sol. Question d'argent !

La lecture de livres par l'enseignant, les études littéraires et les recherches documentaires

Vive les bibliothèques publiques! Elles m'ont rendu un fier service! Pour mes lectures aux élèves, les études littéraires et les recherches documentaires, j'ai beaucoup emprunté (et j'emprunte encore beaucoup) de livres à la bibliothèque de mon quartier. Les bibliothèques sont de véritables mines d'or. Il aurait été impensable d'acheter tous les livres dont j'avais besoin pour enseigner la lecture à mes élèves. J'ai donc énormément profité de cette formidable ressource tout à fait gratuite.

Grâce à la bibliothèque de mon quartier, j'ai pu intégrer rapidement à ma routine la lecture quotidienne d'un album de qualité à mes élèves, les études littéraires et les recherches documentaires. Il a été très facile pour moi de remplacer une partie du temps d'utilisation du manuel scolaire par ces magnifiques activités. Nul besoin d'argent. Juste d'un peu de mon temps pour aller choisir les livres appropriés. Avec les années, j'ai pu garnir davantage la bibliothèque de ma classe, mais j'utilise encore beaucoup cette ressource.

L'écriture

Les activités d'écriture ont été les plus simples à intégrer à ma pratique. J'ai presque complètement éliminé les situations proposées dans le manuel de mes élèves et j'ai instauré une période d'une heure d'écriture par jour. Point final.

Et les cahiers d'exercices, dans tout ça?

Les parents avaient payé les cahiers d'exercices. Il fallait donc que les enfants puissent les utiliser. Ma collègue et moi avons décidé d'un commun accord de donner une grande partie de ces pages à faire en devoir à la maison. Pour le reste, la période de lecture guidée était parfois un moment dédié au travail dans les cahiers (pour les élèves qui ne participaient pas à l'activité de lecture, bien sûr). L'année suivante, nous avons presque complètement éliminé les feuilles d'exercices.

Les embûches

Les changements sont difficiles. Je me suis heurtée à plusieurs obstacles dans la mise en place de cette approche, mais je sais maintenant que mes batailles en valaient la peine.

D'abord il a fallu vendre l'idée à la direction de mon établissement. Ça n'a pas été de tout repos! Il fallait des preuves, des résultats. Il fallait surtout une année complète de rodage pour que les parents m'appuient. À partir du moment où les parents ont vu l'impact positif d'une telle approche sur les apprentissages de leurs enfants, la joute est devenue moins difficile. Ce sont eux qui ont joué le rôle d'ambassadeurs auprès de mon directeur. Je les en remercie grandement aujourd'hui! Ils m'ont beaucoup épaulée dans mes démarches.

Le manque d'argent était le problème majeur dans la mise en œuvre de mon projet. Il me fallait investir dans l'achat de livres. Au Québec, des sommes importantes sont allouées exclusivement à l'achat de manuels scolaires approuvés par le ministère de l'Éducation, mais il est impossible d'utiliser cet argent pour acheter d'autres types de livres. À mon grand désarroi, j'ai donc dû me contenter de petits montants puisés à gauche et à droite à l'intérieur d'enveloppes budgétaires parallèles. J'ai quémandé, harcelé, participé à des concours pour obtenir des fonds... Je me suis même fâchée à l'occasion. Je voulais des livrets gradués et des livres de qualité, pas des manuels scolaires! Il a donc fallu que je sois très tenace!

Tranche de vie

Cinq ans et une nouvelle directrice plus tard, ma vie de pédagogue s'est grandement améliorée. L'appui de la direction de l'école est un atout dans la mise en œuvre de l'approche. Sans cet appui, la démarche est plus longue et plus difficile (voire impossible). Ma directrice croit en notre pédagogie. Elle nous soutient et essaie de répondre de son mieux à nos besoins. Elle sert également de courroie de transmission entre les différents intervenants de l'école. En assumant ces responsabilités, elle nous facilite grandement la tâche et nous encourage à continuer de nous investir à fond dans notre travail.

Ma classe est maintenant bien garnie et je sais que les livres de ma bibliothèque ne se démoderont pas de sitôt! Par définition, les œuvres de qualité le demeurent au fil des ans. Elles ne se démodent pas aussi vite que les manuels scolaires. N'est-ce donc pas là un bien meilleur investissement?

Le travail d'équipe

J'ai eu de la chance! Je n'ai pas vécu le changement de cap toute seule! Ma collègue de niveau, Georgie, s'est rapidement intéressée aux activités nouvelles que je proposais à mes élèves. Elle aussi ressentait un malaise à continuer de travailler avec un même manuel pour tous alors que le *Programme de formation de l'école québécoise* prône une différenciation de notre enseignement. Elle a rapidement perçu les avantages de l'approche que je lui proposais. Elle a tenu à intégrer les nouvelles activités de lecture et d'écriture à sa pratique. À deux, l'adaptation a été beaucoup plus facile.

Nous avons beaucoup discuté. Nous nous sommes questionnées. Nous avons lu de nombreux auteurs jeunesse francophones que nous ne connaissions pas encore. Nous avons partagé nos découvertes et nos coups de cœur. Nous avons vécu l'euphorie ensemble. Nous avons vu des élèves réussir là où ils avaient échoué auparavant. Chacune de notre côté, nous avons pu observer l'impact positif de cette approche sur le plaisir des enfants en lecture et en écriture. Nous avons vécu simultanément la redécouverte de notre bonheur à enseigner. Nous sentions que nous avions enfin une réelle emprise sur notre travail. C'était bien de pouvoir parler ensemble de tout ce que nous vivions et de comparer nos états d'âme. Cette expérience commune nous a permis de créer une grande complicité.

Georgie et moi nous sommes aussi partagé le travail. Si j'avais été toute seule, la transition aurait été plus difficile, c'est certain. J'aurais eu à travailler plus fort pour tout bâtir. Avec l'aide de ma collègue, j'ai pu respirer un peu. Nous étions deux pour mettre l'épaule à la roue. Deux aussi pour observer la transformation chez nos élèves. Nous pouvions discuter de nos bons coups et de nos difficultés à certains égards, et rajuster notre tir à l'occasion.

Avec le temps, d'autres collègues sont venues se greffer à notre équipe et nous avons toujours privilégié le travail collectif. Cela m'a grandement aidée à tout mettre en place. Je l'aurais fait quand même toute seule, mais c'était beaucoup plus facile et agréable de le faire avec des complices.

Le partenariat avec les parents

Les parents de mes élèves sont des partenaires importants. Je me dois de les informer de ce qui se passe dans ma classe, de leur donner la possibilité de s'exprimer et de leur permettre de participer le plus possible à la vie scolaire de leur enfant.

La plupart des parents s'attendent à un enseignement plutôt traditionnel de ma part. C'est généralement ce qu'ils ont connu quand ils étaient enfants. Il me faut donc leur présenter et leur expliquer mon approche dès le début de l'année. Certains d'entre eux sont parfois inquiets, mais leurs inquiétudes se dissipent rapidement lorsqu'ils se familiarisent avec l'approche et qu'ils en constatent les retombées positives.

Tranche de vie

«Est-ce que ma fille est une génie?!» me demande la maman d'Anne-Sophie. «Nous sommes au mois de novembre et elle sait déjà lire! Son frère et sa sœur n'ont pas appris à lire si vite au cours de leur première année d'école...» Je lui explique qu'Anne-Sophie apprend particulièrement rapidement à utiliser les stratégies de lecture et que je respecte son rythme d'apprentissage. Ainsi, elle pourra bientôt lire ses premiers romans. Au lieu d'accorder son rythme avec celui des autres, je tiens compte de son bagage et de ses capacités personnelles. C'est parfois très impressionnant.

Les parents se parlent entre eux. Les bonnes nouvelles se répandent donc comme une traînée de poudre!

Je l'ai déjà dit, j'enseigne dans une classe multiâge de premier cycle. Cela signifie que la moitié de mes élèves sont en première année et l'autre moitié, en deuxième année. Le grand avantage du multiâge, c'est que mes élèves de première année restent avec moi l'année suivante. Cela assure une continuité dans la classe, année après année. De plus, comme chaque enfant demeure avec moi pendant deux ans, j'ai le temps d'établir une relation de confiance avec lui et ses parents.

Tranche de vie

Septembre 2004, rencontre d'information avec les parents.

Je présente l'approche que j'utilise en lecture et en écriture. Je parle entre autres des stratégies de lecture. Le papa de Ranya est sceptique. Sa fille est en première année. Depuis qu'elle a commencé l'école, elle apporte des livrets de lecture à la maison et se sert beaucoup (trop selon le père) des illustrations pour lire les mots. Il m'avoue qu'il cache les images et que cela rend la tâche très ardue pour sa fille. Sans que je n'aie le temps d'ouvrir la bouche, c'est la maman d'Emy qui prend la parole. Sa fille est maintenant en deuxième année. Un an auparavant, cette mère a vécu exactement les mêmes angoisses que ce parent. Elle lui explique qu'il doit laisser sa fille utiliser les illustrations puisque c'est l'une des stratégies de lecture qui l'aidera à décoder les mots au début et qu'éventuellement elle en maîtrisera d'autres. Elle lui raconte son expérience heureuse et la facilité avec laquelle Emy lit maintenant ses premiers romans. Le papa de Ranya est rassuré.

Tout au long de la rencontre, les parents de mes nouveaux élèves et ceux de mes anciens échangent entre eux sur leurs interrogations et leur vécu. Les premiers expriment leurs craintes et les seconds se montrent rassurants. À la fin de la rencontre, tout le monde semble content sans que je n'y sois pour grand-chose... La joie!

Les parents doivent être informés de l'influence énorme qu'ils ont sur les jeunes lecteurs. Je leur explique qu'ils doivent lire avec eux et devant eux (le journal, des revues, des romans...). Ils sont les premiers modèles de lecteurs pour leurs petits. Malheureusement, ils n'ont pas toujours le temps ni les moyens financiers de se procurer des livres. Pour leur faciliter la tâche, je leur envoie un livre chaque semaine à la maison. La lecture de ce livre par le parent à son enfant fait partie des devoirs obligatoires. Je sélectionne un livre de qualité par élève et chaque livre fait la rotation jusqu'à ce qu'il soit passé par les mains de chacun. Je n'achète pas ces ouvrages. Je les emprunte à la bibliothèque publique.

En outre, je demande aux parents de remplir chaque jour une fiche de lecture qui m'informe sur les lectures faites à la maison (voir l'annexe I-1). Je regarde cette fiche chaque matin. Elle m'est très utile pour savoir si l'enfant lit et pour vérifier si les livres qu'il apporte à la maison sont de niveau approprié. Les parents communiquent avec moi par l'entremise de cette fiche. Ils me font souvent part de leurs observations et de leurs interrogations. C'est un outil de correspondance très pratique qui m'oblige parfois à me questionner de nouveau à propos de certains lecteurs.

Après deux ou trois mois d'école, lorsque je présente les travaux d'écriture aux parents, ils ne peuvent que constater les progrès souvent fulgurants de leur enfant en cette matière. Je prends le temps de leur expliquer les étapes d'apprentissage à cet égard et je leur montre, à travers les travaux de l'élève, tout le chemin parcouru. Les parents ne peuvent que se réjouir. Il arrive même que certains d'entre eux pleurent de joie devant la beauté des textes rédigés de la main de plus en plus assurée de leur petit. Encore une fois, tous ne progressent pas au même rythme. Mais une chose est certaine : tous progressent.

Tranche de vie

Des parents témoignent...

Mes deux enfants ont eu la chance de faire leurs deux premières années d'école primaire avec Jocelyne. La rapidité avec laquelle ils ont acquis leurs compétences en lecture a été tout simplement miraculeuse.

Mon fils avait déjà appris à lire un peu à la maternelle. Je savais qu'il n'aurait pas beaucoup de difficultés d'apprentissage, mais j'avoue que j'étais bien loin de me douter de la rapidité avec laquelle il maîtriserait la lecture. Quelle ne fut pas ma surprise quand je l'ai vu arriver avec un premier « vrai » roman à lire pour les vacances de Noël de sa première année !

Quand ma fille a commencé la première année, elle ne savait pas lire du tout. J'avais essayé de la faire pratiquer durant l'été précédent, mais elle se fâchait souvent, car elle était incapable de se rappeler les différents sons des consonnes et n'arrivait pas à lire les syllabes. J'appréhendais donc son apprentissage de la lecture que j'imaginais parsemé de difficultés et de frustrations. Mais dès ses toutes premières semaines d'école, elle a commencé à bien reconnaître les mots et même à lire des phrases. Une fois, alors que je lui demandais d'arrêter de regarder les images pour lire les mots, elle m'a dit : « C'est correct, maman. Jocelyne a dit que regarder les images est aussi une stratégie de lecture ! » J'ai trouvé ça brillant ! Elle utilisait en effet différentes stratégies et me demandait régulièrement de ne pas la corriger durant ses lectures, car elle devait plutôt choisir elle-même les stratégies appropriées pour lire les mots (comme le lui avait demandé Jocelyne). Elle aussi lisait des petits romans à Noël.

J'ai aussi bien aimé les études d'auteurs au cours desquelles les enfants étudiaient les œuvres d'un auteur à la fois. Cette activité a permis à mes enfants d'apprendre, dès leur jeune âge, à rendre hommage à la personne qui fait le travail d'écrire. C'est très respectueux envers les auteurs.

Mejda, maman de Sami et d'Inès

Tranche de vie (*suite*)

Merci, madame Prenoveau, d'avoir introduit votre méthode d'enseignement de la lecture et de l'écriture à l'école Saint-Benoît. Elle nous donne la chance de lire jour après jour avec nos enfants et de constater rapidement leurs progrès. Les élèves améliorent leur compréhension des textes lus et font des recherches scientifiques exhaustives. Cela aide aux apprentissages dans les autres matières scolaires. Alors je vous dis merci et bravo de partager cette passion des livres qui ouvre l'imaginaire de nos enfants à l'infini. Merci pour Thomas et Camille.

Marie, maman de Thomas et de Camille

Bibliographie

ADAMS, M.J. et autres (2000). *Phonemic Awareness in Young Children: A Classroom Curriculum,* Baltimore (MA), Paul H. Brookes Publishing Co.

AU, K.H. (1997). «Literacy for all students: Ten steps toward making a difference», *The Reading Teacher,* vol. 51, n° 3, p. 186-194.

BANKS, J.C. (1995). *Creating the Multi-Age Classroom,* Edmonds (WA), CATS Publications.

BARRENTINE, S. (1996). «Engaging with reading through interactive read-alouds», *The Reading Teacher,* vol. 50, n° 1, p. 36-43.

CHASE, P. et DOAN, J. (1996). *Choosing to learn: Ownership and Responsibility in a Primary Multiage Classroom,* Portsmouth (NH), Heinemann.

CLAY, M. (2003). *Le sondage d'observation en lecture et en écriture,* Montréal, Chenelière McGraw-Hill.

CUNNINGHAM, P.M. et ALLINGTON, R.L. (2006). *Classrooms That Work: They Can all Read and Write,* 4e éd., Boston (MA), Allyn and Bacon.

CUNNINGHAM, P.M. et CUNNINGHAM, J.W. (1992). «Making Words: Enhancing the invented spelling-decoding connection», *The Reading Teacher,* vol. 46, n° 2, p. 106-115.

CUNNINGHAM, P.M. et autres (1999). *The Teacher's Guide to the Four Blocks: A Multimethod, Multilevel Framework for Grades 1-3,* Greensboro (NC), Carson-Dellosa Publishing Company.

DAHL, K.L. et SCHARER, P.L. (2000). «Phonics teaching and learning in whole language classrooms: New evidence from research», *The Reading Teacher,* vol. 53, n° 7, p. 584-594.

DEMERS, D. (1994). *Du Petit Poucet au dernier des raisins,* Boucherville, Québec Amérique Jeunesse.

DEMERS, D. (1995). *La bibliothèque des enfants: des trésors pour les 0 à 9 ans,* Boucherville, Québec Amérique Jeunesse.

DOMBEY, H. et MOUSTAFA, M. (1998). *Whole to part phonics: How children learn to read and spell,* Portsmouth (NH), Heinemann.

DUTHIE, C. (1994). «Nonfiction: A genre study for the primary classroom», *Language Arts,* vol. 71, p. 588-594.

FITZGERALD, J. (1999). «What is this thing called "balance"?», *The Reading Teacher,* vol. 53, n° 2, p. 100-107.

FOUNTAS, I.C. et PINNELL, G.S. (1996). *Guided Reading: Good First Teaching for all Children,* Portsmouth (NH), Heinemann.

GAGE, N.L. et BERLINER, D.C. (1998). *Educational Psychology,* 6e éd., Boston (MA), Houghton Mifflin Company.

GIASSON, J. (1990). *La compréhension en lecture,* Boucherville, Gaëtan Morin Éditeur.

GIASSON, J. (2000). *Les textes littéraires à l'école,* Boucherville, Gaëtan Morin Éditeur.

GIASSON, J. (2003). *La lecture: de la théorie à la pratique,* 2e éd., Boucherville, Gaëtan Morin Éditeur.

GOODMAN, K.S. (1993). *Phonics Phacts,* Portsmouth (NH), Heinemann.

GOODMAN, Y.M. et ANDERS, P.L. (1999). «Listening to Erica Read: Perceptions and Analyses from Six Perspectives», *National Reading Conference Yearbook,* vol. 48, p. 178-200.

HANCOCK, M.R. (1993). «Exploring and extending personal response through literature journals», *The Reading Teacher,* vol. 46, n° 6, p. 466-474.

HOFFMAN, J.V. (1992). «Critical Reading/Thinking Across The Curriculum: Using I-Charts to Support Learning», *Language Arts,* vol. 69, p. 10-16.

HOLDAWAY, D. (1979). *The Foundations of Literacy,* Sydney, Ashton Scholastic.

KEEGAN, S. et SHRAKE, K. (1991). «Literature study groups: An alternative to ability grouping», *The Reading Teacher,* vol. 44, n° 8, p. 542-547.

KOZOL, J. (1991). *Savage Inequalities: Children in America's schools,* New York (NY), Crown Publishers.

LAPLANTE, J. (2001). *Raconte-moi les sons,* Sainte-Foy, Éditions Septembre.

LAPLANTE, J. (2003). *Raconte-moi l'alphabet,* Sainte-Foy, Éditions Septembre.

MINISTÈRE DE L'ÉDUCATION DE L'ONTARIO (2003). *Guide d'enseignement efficace de la lecture, de la maternelle à la 3e année,* Ontario, Imprimeur de la Reine pour l'Ontario.

MINISTÈRE DE L'ÉDUCATION DU QUÉBEC (2001). *Programme de formation de l'école québécoise: éducation préscolaire et enseignement primaire,* Québec, Ministère de l'Éducation.

MOONEY, M. (1995). «Guided Reading Beyond the Primary Grades», *Teaching K-8*, septembre 1995, p. 75-77.

NADON, Y. (2002). *Lire et écrire en première année et pour le reste de sa vie*, Montréal, Chenelière McGraw-Hill.

NORTHWEST REGIONAL EDUCATIONAL LABORATORY (1999). *Assessment and Evaluation Program*, Portland (OR), NREL.

PARKES, B. (2000). *Read It Again!: Revisiting Shared Reading*, Portland (ME), Stenhouse Publishers.

PENNAC, D. (1992). *Comme un roman*, Paris, Gallimard.

PRENOVEAU, J. (2004). «Une approche de l'enseignement de la lecture et de l'écriture entièrement centrée sur l'élève: un bilan positif de la première année d'expérimentation», *Vie pédagogique*, n° 131, p. 10-11.

RHODES, L.K. (1993). *Literacy Assessment: A Handbook of Instruments*, Portsmouth (NH), Heinemann.

RHODES, L.K. et SHANKLIN, N.L. (1993). *Windows Into Literacy: Assessing Learners K-8*, Portsmouth (NH), Heinemann.

RICHARDS, M. (2000). «Be a good detective: Solve the case of oral reading fluency», *The Reading Teacher*, vol. 53, n° 7, p. 534-539.

ROBERTS, D. (1999). «The Sky's the Limit», *Science and Children*, septembre 1999, p. 33-37.

ROSER, N.L. et autres (1992). «Language Charts: A Record of Story Time Talk», *Language Arts*, vol. 69, janvier 1992, p. 44-51.

SAINT-LAURENT, L. (2002). *Enseigner aux élèves à risque et en difficulté au primaire*, Boucherville, Gaëtan Morin Éditeur.

SAVAGE, J.F. (2001). *Sound it Out! Phonics in a Balanced Reading Program*, New York (NY), McGraw-Hill Education.

SHANKER, J.L. et EKWALL, E.E. (1998). *Locating and Correcting Reading Difficulties*, 7e éd., Upper Saddle River (NJ), Prentice-Hall.

SHANKER, J.L. et EKWALL, E.E. (2000). *Ekwall/Shanker Reading Inventory*, 4e éd., Needham Heights (MA), Allyn and Bacon.

STAHL, S. (1992). «Saying the "p" word: Nine guidelines for exemplary phonics instruction», *The Reading Teacher*, vol. 45, n° 8, p. 618-625.

STAHL, S. et autres (1998). «Everything you wanted to know about phonics (but were afraid to ask)», *Reading Research Quarterly*, vol. 33, n° 3, p. 338-355.

STANKÉ, B. (2001). *L'apprenti lecteur*, Montréal, Chenelière Éducation.

STONE, J.S. (1996). *Creating the Multiage Classroom*, Parsippany (NJ), Good Year Books.

STRICKLAND, D.S. (1998). *Teaching Phonics Today: A Primer for Educators*, Newark (DE), International Reading Association.

TABERSKI, S. (2000). *On Solid Ground: Strategies for Teaching Reading K-3*, Portsmouth (NH), Heinemann.

TARDIF, J. (1992). *Pour un enseignement stratégique: L'apport de la psychologie cognitive*, Montréal, Éditions Logiques.

THÉRIAULT, J. (1995). *J'apprends à lire... Aidez-moi!*, Montréal, Éditions Logiques.

TIERNEY, R.J. (1998). «Literacy assessment reform: Shifting beliefs, principled possibilities, and emerging practices», *The Reading Teacher*, vol. 51, n° 5 (février 1998), p. 374-390.

TRACHTENBURG, P. (1990). «Using children's literature to enhance phonics instruction», *The Reading Teacher*, vol. 43, n° 9 (mai 1990), p. 648-652.

TRELEASE, J. (1989). «Jim Trelease speaks on reading aloud to children», *The Reading Teacher*, vol. 43, n° 3 (décembre 1989) p. 200-205.

TRELEASE, J. (2006). *The Read-Aloud Handbook*, New York (NY), Penguin Group.

TURGEON, E. (2005). *Quand lire rime avec plaisir*, Montréal, Chenelière Éducation.

YOPP, H.K. (2000). «Supporting phonemic awareness development in the classroom», *The Reading Teacher*, vol. 54, n° 2, p. 130-139.

La grille à phonèmes

Titre du grand livre : _____

Consonnes à phonèmes longs	Consonnes à phonèmes courts	Graphèmes de 2 lettres et plus	Voyelles avec accent	Mots

Aboie, Georges!

Consonnes à phonèmes longs		Consonnes à phonèmes courts		Graphèmes de 2 lettres et plus			Voyelles avec accent	Mots				
c (s)	n	b	h	ai	en	in	é	chat	dit	il	mais	son
f	r	c (k)	t	ain	eu	oi	è	chez	elle	la	maman	sur
g (j)	s	d	w	an	eur	oin		chien	est	le	non	te
l	v	g (gu)		ch	ez	on		dans	et	les	plus	tout
m				em	ien	ou		de	fait	long	que	un

Dépêche-toi, Alexandra

Consonnes à phonèmes longs		Consonnes à phonèmes courts		Graphèmes de 2 lettres et plus			Voyelles avec accent	Mots				
c (s)	n	b	h	ai	en	oi	é	à	dit	le	orange	son
f	r	c (k)	p	an	er	on	ê	au	école	lui	papa	ta
j	s	d	q	au	et (è)	ou		bien	elle	mais	pas	tes
l	v	g (gu)	t	ch	eu	ui		chose	et	maman	que	toi
m				ei	ien			dans	j'ai	mon	quoi	tout
				em	in			de	je veux	ne	sa	ton
								des	la	neige	se	trop

Le gros traîneau

Consonnes à phonèmes longs		Consonnes à phonèmes courts		Graphèmes de 2 lettres et plus			Voyelles avec accent	Mots				
c (s)	r	b	p	ai	ei	in	é	aime	de	il/ils	maman	rouge
f	s	c (k)	q	ain	ein	ion		ami	dehors	il y a	neige	ses
j	s (z)	d	t	am	en	oi		aussi	est	j'aime	noir	son
l	v	h		an	er	on		avec	et	je suis	ours	tous
m	z			au	eu	ou		beaucoup	fait	la/le/les	papa	tout
n				ch	ez	ui		blanche	gris	lui	pas	très
				eau				bleu	gros	maison	regarde	vert
								dans				

La marmotte qui ne voulait pas dormir

Consonnes à phonèmes longs		Consonnes à phonèmes courts		Graphèmes de 2 lettres et plus			Voyelles avec accent	Mots				
c (s)	n	b	p	ai	er	oi	é	à	faire	lire	petit	son
f	r	d	q	an	er (ère)	on		de	il	mais	petite	tout
j	s	h	t	eau	eu	ou		école	la	ne	pour	un
l	s (z)			eill	in	ui		elle	le	pas	quand	une
m	v			en				était				

Moi, la pomme

Consonnes à phonèmes longs		Consonnes à phonèmes courts		Graphèmes de 2 lettres et plus			Voyelles avec accent	Mots				
c (s)	n	b	p	ai	em	in	é	après	dans	grand	moi	rouge
f	r	c (k)	q	ain	en	oi	è	au	de	j'ai	mon	soleil
j	s	d	t	an	er	om		aussi	des	je	nous	sur
l	v			au	eu	on		autre	est	je suis	petite	un
m				eau	eur	ou		avec	et	la/le	plus	une
				eil	ien	ui		belle	fait	me	pomme	verte
				ein				cinq	fleur	mes	puis	

La Lune

Consonnes à phonèmes longs		Consonnes à phonèmes courts		Graphèmes de 2 lettres et plus		Voyelles avec accent	Mots		
c (s)	r	d	q	ei	gn	è	la	ciel	de
l	s	p	t	er	oi		lune	voir	il y a
m	v			ett	on		regarde	est	des
				eu			le	un	sur

Petite bête, grosse bêtise

Consonnes à phonèmes longs		Consonnes à phonèmes courts		Graphèmes de 2 lettres et plus			Voyelles avec accent	Mots				
c (s)	n	b	p	ai	en	gn	é	à	des	la	petit	souris
f	r	c (k)	t	ain	eu	on	è	amie	dit	le	petite	sur
j	s	d		an	eur	ou	ê	avec	est	les	plus	tout
l	z			ch	ez	ui		bonne	et	livre	pomme	un
m				ei				chez	fait	ne	regarde	une
								dans	grand	nez	sa	yeux
								de	grosse	pas	son	

Plaisirs d'hiver

Consonnes à phonèmes longs	Consonnes à phonèmes courts	Graphèmes de 2 lettres et plus	Voyelles avec accent	Mots				
c (s) n ç r f s g (j) s (z) j v l z m	b p c (k) q d t h	ai er (é) ien an er (ère) ion au ess oi ch ett om ei eu on ell euil ou em ez ui en gn	é	à beau belle bien c'est dans de dehors deux	est et fait fête grand gros il j'ai	jouer la le lui ma mais maison mes	moi mon neige pas petit peu pour plus	quand quatre qui tous tout trois trop un

Tu pars, Petit Loup ?

Consonnes à phonèmes longs	Consonnes à phonèmes courts	Graphèmes de 2 lettres et plus	Voyelles avec accent	Mots			
ç n l r m v	c (k) p d t	ai eur oin an ez on ch in ou euil	é	aujourd'hui c'est dit du	et je vais lapin mais	ne non papa pas	petit pour tout tu

Plaisirs d'aimer

Consonnes à phonèmes longs	Consonnes à phonèmes courts	Graphèmes de 2 lettres et plus	Voyelles avec accent	Mots				
c (s) n ç r f s j s (z) l v m	b h c (k) p d q gu t	ai en ill ain er (é) in an er (ère) oi au eu on ch ez ou eau ien ouill eil ui eill	ê	à aimer ami amie avec beau belle bien chante	de des deux donne du est et fait grand	gros huit j'ai j'aime la les ma me mon	nez nous par petit peu pomme pour puis quand	qui ses souris ton tous trop un une

Simon et les flocons de neige

Consonnes à phonèmes longs		Consonnes à phonèmes courts		Graphèmes de 2 lettres et plus			Voyelles avec accent	Mots				
c (s)	n	b	p	ai	ell	im	é	à	c'est	j'aime	mon	quand
f	r	c (k)	q	ain	em	oi		aller	ciel	je	neige	que
j	s	d	t	an	en	om		ami	dans	je peux	oiseau	qui
l	s (z)			au	er	on		amie	de	la	pas	sur
m	v			ch	eu	ou		avec	et	les	pour	tous
				eau	gn	ui		bien	il	lune	première	une
				ei	ien			bras	il y a	mais		

Quand je suis dans la lune

Consonnes à phonèmes longs		Consonnes à phonèmes courts		Graphèmes de 2 lettres et plus			Voyelles avec accent	Mots				
f	n	c (k)	p	ai	em	oi	è	à	fait	la	mon	qui
g (j)	r	d	q	aill	en	on		avec	grand	le	papa	quand
j	s	g (gu)	t	an	er	ou		chante	gros	les	pas	tout
l	s (z)	h	x	au	er (ère)	ph		comme	j'ai	lune	père	tous
m	v			ch	ien	ui		dans	je suis	maison	plus	un
				eau	ion			et	je vais	mes	pour	

Mon grand frère l'a dit

Consonnes à phonèmes longs		Consonnes à phonèmes courts		Graphèmes de 2 lettres et plus			Voyelles avec accent	Mots				
c (s)	r	b	p	ai (è)	et (è)	œu	è	à	du	j'ai	mon	quand
j	s	d	q	ai (é)	eu	oi	é	avec	elle	je	ne	se
l	v	g (gu)		an	eur	on		bien	en	je veux	papa	ses
m	z			ch	ien	ou		dans	est	les	pas	très
n				en	in	ui		de	grand	lui	petite	tu
								des	il	maman	pour	un
								deux	il y a	moi	puis	une
								dit				

160 Annexe B-2 *(suite)*

Nom : _____   Date : _____

Titre : _____   Auteur : _____

Ce que je sais sur le personnage

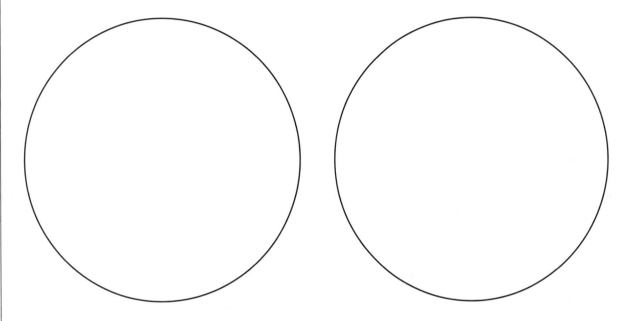

Nom du personnage

_____

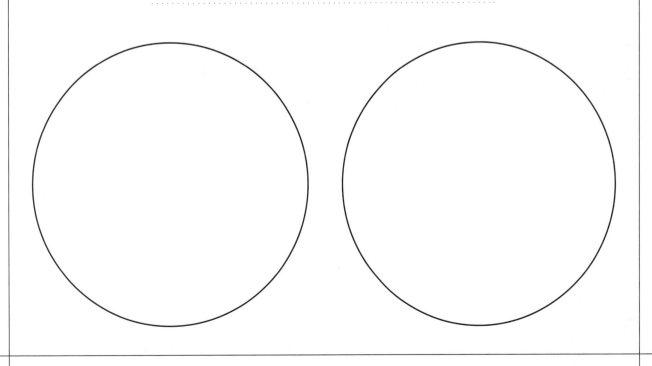

Nom : _____   Date : _____

Titre : _____   Auteur : _____

Les relations entre les personnages

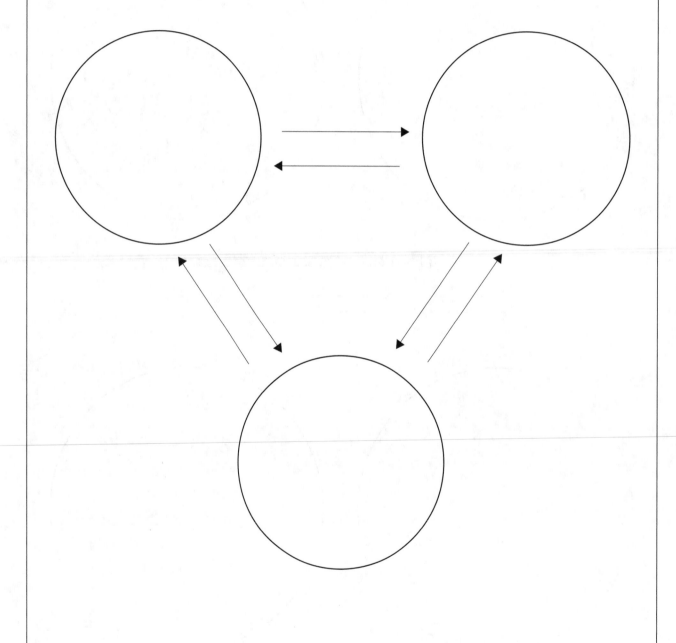

Nom : _____ Date : _____

Titre : _____ Auteur : _____

Sujet du livre : _____

Ce que je sais avant la lecture du livre	Ce que je sais après la lecture du livre

Nom : _____

Date : _____

Nom de l'animal

_____

Caractéristiques physiques	Nourriture
Habitat	Petits

stratégie de comp.

Nom : _____ Date : _____

Titre : _____ Auteur : _____

Début   Qui ? _____

               Où ? _____

      Quand ? _____

Problème

_____

_____

_____

_____

Solution

_____

_____

_____

_____

Fin

_____

_____

_____

_____

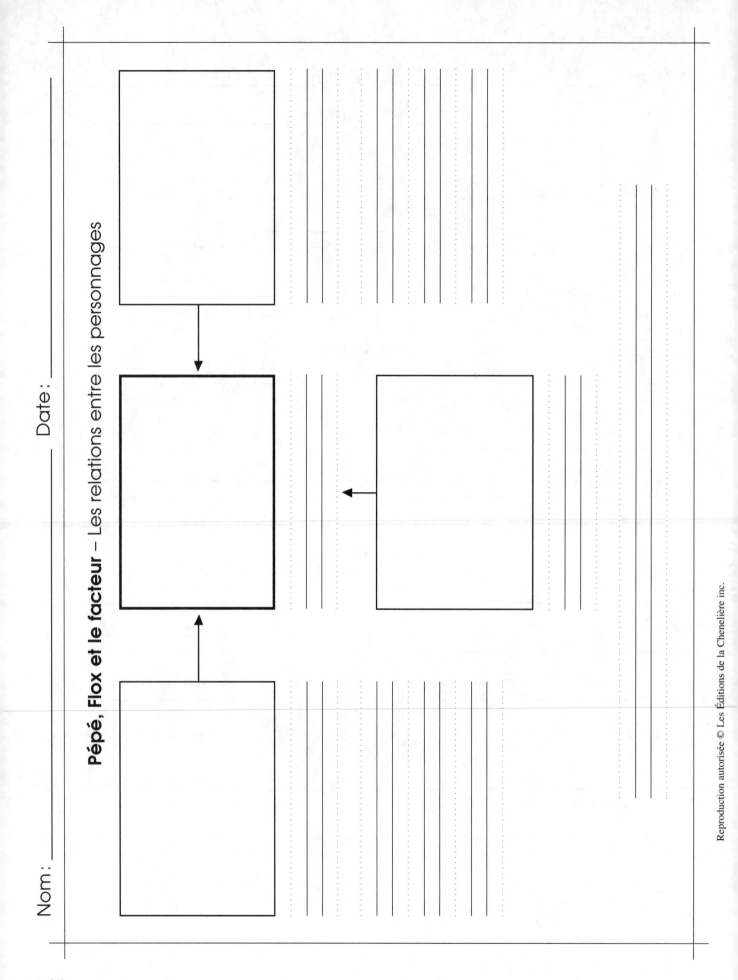

Nom : _____

Date : _____

Pépé, Flox et le facteur – Les relations entre les personnages

Nom : _____   Date : _____

Mon carnet de lecture

Titre du livre : _____

Auteur : _____

- Qu'est-ce que tu aimes ou n'aimes pas dans ce livre ?
- Quelle est ta partie préférée de l'histoire ?
- Aimes-tu les personnages ? Pourquoi ?
- Est-ce que le livre t'a rappelé quelque chose ?

L'abécédaire

Lettre minuscule   Lettre majuscule

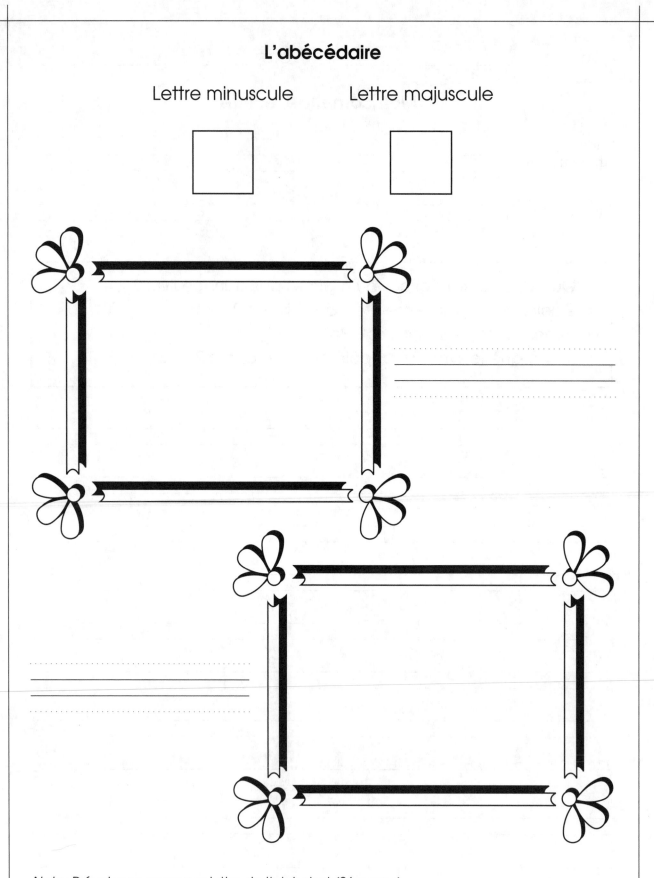

Note : Prévoir une page par lettre de l'alphabet (26 pages).

Nom : _____

Livres lus :   Date : _____

_____   Au complet ☐   jusqu'à la page _____

_____   Au complet ☐   jusqu'à la page _____

_____   Au complet ☐   jusqu'à la page _____

Livres lus :   Date : _____

_____   Au complet ☐   jusqu'à la page _____

_____   Au complet ☐   jusqu'à la page _____

_____   Au complet ☐   jusqu'à la page _____

Livres lus :   Date : _____

_____   Au complet ☐   jusqu'à la page _____

_____   Au complet ☐   jusqu'à la page _____

_____   Au complet ☐   jusqu'à la page _____

Livres lus :   Date : _____

_____   Au complet ☐   jusqu'à la page _____

_____   Au complet ☐   jusqu'à la page _____

_____   Au complet ☐   jusqu'à la page _____

Livres lus :   Date : _____

_____   Au complet ☐   jusqu'à la page _____

_____   Au complet ☐   jusqu'à la page _____

_____   Au complet ☐   jusqu'à la page _____

Le livre que j'ai préféré : _____

Les mots de...

▶

Des expressions

pour nommer

☐ Tout petit, tout petit ☐ Les mots d'amour

☐ Les mots du temps ☐ Mes mots préférés

☐ Les mots détestés ☐ Les mots de ma vie

☐ Les mots des sentiments ☐ Les mots qui me font rire

☐ Les mots catastrophes ☐ Les mots qui me font pleurer

Nom : _____ Date : _____

Drôle de cauchemar (de Bruno St-Aubin)

Qu'est-ce que cette histoire te rappelle ?

Source : Dominique et compagnie, 2000.

Papa est un dinosaure (de Bruno St-Aubin)

Qu'est-ce que tu as trouvé le plus drôle dans cette histoire ?

Source : Dominique et compagnie, 1999.

Nom : _____ Date : _____

Papa est un castor bricoleur
(de Bruno St-Aubin)

Mots originaux de l'auteur	Significations

Nom : _____ Date : _____

Côté coeur (de Rascal)

Les mots « fleurs »
de Rascal

Les mots « caca-de-chien »
de Rascal

▶

Nom : _____ Date : _____

Côté coeur (de Rascal) (*suite*)

Mes mots « fleurs »	Mes mots « caca-de-chien »
_____	_____
_____	_____
_____	_____
_____	_____
_____	_____
_____	_____
_____	_____
_____	_____
_____	_____
_____	_____

Nom: _____ Date: _____

Prunelle (de Rascal)

Au retour du premier jour d'école, _____

Nom : _____ Date : _____

Une visite de Paris

La tour Eiffel a été construite en 1889.
Gustave Eiffel appelait son oeuvre
«la tour de 300 mètres».

Le T.G.V. (train
à grande
vitesse)
peut atteindre
une vitesse
de 300 km/h.

Plusieurs grands
penseurs et
écrivains ont
fréquenté
le Café de Flore.

Sur la place du Tertre
à Montmartre,
il y a beaucoup
d'artistes peintres.

Sur l'avenue
des Champs-Élysées,
il y a des boutiques
et des restaurants.

Olivia à Paris (de Rascal)

Nom : _____ Date : _____

C'est un papa... (de Rascal)

La virgule	Le point d'interrogation	Le point d'exclamation	Les guillemets
☐	☐	☐	☐

....

_____

_____
....
_____

_____

Des exemples tirés du livre

....
_____

_____
....
_____

_____
....
_____

_____
....
_____

_____
....
_____

_____
....
_____

_____
....
_____

_____
....
_____

_____
....
_____

_____

Nom : _____ Date : _____

Socrate (de Rascal)

Parle-nous de ton animal préféré.

Nom : _____ Date : _____

Ma toile d'idées !

Mon sujet : _____

Mon idée principale

Nom : _____ Date : _____

Sujet : _____

Je me corrige

Révision du contenu

_____ **1.** J'ai relu mon texte.

_____ **2.** Je l'ai montré à un camarade. Nom : _____

_____ **3.** J'ai ajouté ou enlevé des informations si nécessaire.

Je rencontre mon enseignante.

Correction

_____ **1.** J'ai accordé les mots au pluriel.

_____ **2.** J'ai encerclé les mots difficiles.

_____ **3.** J'ai cherché les mots encerclés dans un dictionnaire ou à un autre endroit.

_____ **4.** J'ai écrit les mots introuvables de deux façons différentes.

Je rencontre mon enseignante.

Diffusion

_____ **1.** J'ai recopié mon texte au propre.

_____ **2.** Je l'ai publié.

Date : _____

Date : _____

Date : _____

Titre :

de :

Début

Problème

Solution

Fin

Nom : _____ Date : _____

Si je peux écrire...	... alors je peux écrire...

Mes mots à apprendre

Semaine du _____

1. _____
2. _____
3. _____
4. _____
5. _____
6. _____
7. _____
8. _____

Semaine du _____

1. _____
2. _____
3. _____
4. _____
5. _____
6. _____
7. _____
8. _____

Semaine du _____

1. _____
2. _____
3. _____
4. _____
5. _____
6. _____
7. _____
8. _____

Semaine du _____

1. _____
2. _____
3. _____
4. _____
5. _____
6. _____
7. _____
8. _____

Mes mots de la semaine

Mes mots de la semaine

Nom : _____ Date : _____

Essaie-toi !

Écris le mot.	Si le mot n'est pas écrit correctement, essaie encore.	Si le mot n'est pas encore écrit correctement, recopie-le. Encercle tes difficultés.

Date : _____ Heure : _____

Les objets dans le ciel

- Quels sont les objets que tu vois ?
- Est-ce qu'ils bougent ?
- Comment bougent-ils ?

Note tes observations.

Date : _____ Heure : _____

Les phases de la Lune

Ce que je vois :

....
_____
_____
....
_____
_____
....
_____
_____
....
_____
_____
....

Ce que je me demande :

....
_____
_____
....
_____
_____
....
_____
_____
....
_____
_____
....

Nom : _____

Question

Toutes les pommes ont-elles le même nombre de pépins ?

Hypothèses

1. Même variété ☐ oui ☐ non

2. Variétés différentes ☐ oui ☐ non

Expérimentation

1. Coupe ta pomme en deux.
   Dessines-en une demie.

2. Compte les pépins de ta pomme.

   Variété : _____ ☐ pépins

3. Compare avec tes amis.

Nom	Pépins

Conclusions

1. Toutes les pommes des enfants de ton équipe ont-elles
   le même nombre de pépins ? ☐ oui ☐ non

2. Toutes les pommes des enfants de la classe ont-elles le même
   nombre de pépins ? ☐ oui ☐ non

Nom : _____   Date : _____

L'enseignant lit les questions à l'élève. L'entrevue se fait oralement jusqu'au point 2. Mettre + si l'enfant réussit et − s'il échoue. Après trois mauvaises réponses, passer à la question suivante.

1. La conscience phonologique

a) Rimes

Peux-tu trouver un mot qui rime ? Tu peux inventer un mot.
Exemple : bon - son... mon - ton - ron

trou - mou	_____	lame - rame	_____
tasse - casse	_____	cru - tu	_____
mot - sceau	_____	soir - croire	_____
riz - cri	_____	bleu - creux	_____

b) Syllabes

Combien de syllabes comptes-tu dans les mots suivants?
Exemple : Le mot *papa* a deux syllabes.

cheval	_____	pont	_____
découper	_____	sentir	_____
riz	_____	maman	_____
regarder	_____	chocolat	_____

c) Son initial

Quel est le premier son que tu entends ?
Exemple : sa - son... « sssss »

jus - joue	_____	coq - carte	_____
sans - sot	_____	tout - ta	_____
lame - lac	_____	pour - puis	_____
mon - ma	_____	belle - balle	_____

Adapté de Shanker et Ekwall (2000).

d) Fusion de phonèmes

Je vais te dire un mot en robot. Dis-moi quel est ce mot.

Exemple : s/a/c = sac

p/a/r   _____   l/a/c   _____

m/oi   _____   s/u/r   _____

c/ou   _____   p/ou/r   _____

ch/ez   _____   v/a   _____

e) Segmentation de phonèmes

Je vais te dire un mot. Peux-tu le dire en robot ?

Exemple : sac = s/a/c

non   _____   chat   _____

beau   _____   joue   _____

la   _____   brun   _____

ami   _____   lourd   _____

2. La reconnaissance des lettres (Remettre la feuille de l'élève.)

Pointe la lettre que je te lis.

t   o   i   f   x

y   l   k   v

s   j   w   z

Lis les lettres suivantes.

b   p   d   q   g

n   u   r   m

a   h   c   e

Adapté de Shanker et Ekwall (2000).

3. **L'association d'un son et d'une lettre (Remettre la feuille de l'élève.)**

Pointe la lettre que tu entends **au début du mot**.

1. farine		**6.** sale
2. dîne		**7.** pile
3. mûle		**8.** nid
4. lune		**9.** balle
5. rire		**10.** tomate

Pointe la lettre que tu entends **à la fin du mot**.

1. vis		**6.** bol
2. sac		**7.** cinq
3. cheval		**8.** mur
4. vif		**9.** huit
5. finir		**10.** sud

Pointe la **voyelle** que tu entends dans le mot que je te lis.

1. rue		**6.** but
2. île		**7.** sa
3. pot		**8.** nid
4. rat		**9.** de
5. le		**10.** mi

Pointe le **son** que tu entends dans le mot que je te lis.

1. mon		**6.** sous
2. roi		**7.** doigt
3. loup		**8.** mou
4. doux		**9.** son
5. bon		**10.** loi

Adapté de Shanker et Ekwall (2000).

Feuille de l'élève
La reconnaissance des lettres

Pointe la lettre que je te lis.

f   l   t   k   s

i   o   j   z

y   x   v   w

Lis les lettres suivantes.

b   p   d   q   g

n   u   r   m

a   h   c   e

Adapté de Shanker et Ekwall (2000).

Feuille de l'élève
L'association d'un son et d'une lettre

Au début du mot

1.	v	t	f	l	s		**6.**	p	s	f	g	r
2.	b	p	t	d	r		**7.**	b	d	q	g	p
3.	m	n	l	b	t		**8.**	m	l	t	n	b
4.	f	l	d	p	m		**9.**	b	d	p	k	g
5.	r	l	d	m	s		**10.**	p	t	d	c	l

À la fin du mot

1.	f	s	p	t	r		**6.**	l	r	f	g	c
2.	c	d	s	t	b		**7.**	p	b	d	q	l
3.	r	s	l	p	d		**8.**	l	d	f	t	r
4.	s	t	c	l	f		**9.**	s	m	t	n	p
5.	d	r	t	s	l		**10.**	d	b	p	q	g

Voyelle dans le mot

1.	a	e	i	o	u		**6.**	o	e	u	a	i
2.	o	i	a	e	u		**7.**	e	i	a	o	u
3.	i	o	e	u	a		**8.**	a	o	u	e	i
4.	e	u	o	a	i		**9.**	o	a	i	u	e
5.	u	o	i	e	a		**10.**	i	e	o	a	u

Son dans le mot

on   ou   oi

Adapté de Shanker et Ekwall (2000).

Nom : _____ Date : _____

Mon attitude envers la lecture

1. Comment te sens-tu lorsque tu lis un livre dans tes temps libres à l'école ?

2. Comment te sens-tu lorsque tu lis un livre à la maison ?

3. Comment te sens-tu lorsque tu reçois un livre en cadeau ?

Adapté de Lynn K. Rhodes (1993).

4. Comment te sens-tu lorsque tu commences un nouveau livre ?

5. Comment te sens-tu lorsque tu vas dans une librairie ?

6. Comment te sens-tu quand le professeur te pose des questions sur ce que tu lis ?

7. Comment te sens-tu quand tu lis à l'école ?

Adapté de Lynn K. Rhodes (1993).

8. Aimes-tu les livres que tu apportes de la classe à la maison ?

9. Comment te sens-tu quand c'est l'heure de la lecture en grand groupe à l'école ?

10. Comment te sens-tu quand c'est l'heure de la lecture en petit groupe à l'école ?

11. De quelle façon aimes-tu les histoires que tu lis en classe ?

Adapté de Lynn K. Rhodes (1993).

12. Aimes-tu lire à voix haute en classe ?

13. Aimes-tu lire des livres sur différents sujets ?

14. Aimes-tu lire chez toi quand il pleut le samedi ?

15. Aimes-tu lire pour le plaisir à la maison ?

Adapté de Lynn K. Rhodes (1993).

Nom : _____   Date : _____

Mes goûts

1. Aimes-tu lire? _____

   _____

2. Qu'est-ce que tu aimes lire?

   _____ des histoires de princesses   _____ des histoires d'animaux

   _____ des histoires drôles   _____ des histoires sportives

   _____ des histoires de monstres   _____ des histoires douces

   _____ des histoires d'aventures   _____ des revues (lesquelles?)

   _____ des livres pour apprendre   _____

   Quels sont les sujets qui t'intéressent?

   _____ les animaux   _____ l'environnement

   _____ les véhicules   _____ les sports

   _____ les planètes   _____ les dinosaures

   _____ la nature   _____ le bricolage

   Autres : _____

   _____

   Le dernier livre que tu as aimé lire était :

   _____

   Nomme un livre que tu n'as pas aimé lire :

   _____

   Quelles sont tes activités préférées à l'extérieur de l'école?

   _____

   _____

Nom de l'élève : _____   Date : _____

La lecture

	Commentaires
Lecture orale	
_____ lit de gauche à droite	_____
_____ utilise les illustrations	_____
_____ n'omet pas de mot	_____
_____ n'ajoute pas de mot	_____
_____ n'intervertit pas les mots (ou les lettres)	_____
_____ utilise le contexte	_____
_____ fait des substitutions logiques	_____
_____ relit pour mieux comprendre le texte	_____
_____ s'autocorrige	_____
_____ tient compte de la ponctuation	_____
_____ lit de façon fluide	_____
_____ lit sans aide	_____
Stratégie graphophonétique	
_____ connaît le son des consonnes	_____
_____ est capable de lire les doubles consonnes	_____
_____ connaît le son des voyelles	_____
_____ connaît le son des graphèmes complexes	_____
Mots courants	
_____ reconnaît globalement les mots courants	_____
Compréhension	
_____ comprend les mots (vocabulaire)	_____
_____ comprend les faits	_____
_____ fait des inférences	_____

Remarques : _____

_____

Nom de l'élève : _____   Date : _____

La lecture

Lecture orale

_____ est concentré pendant la lecture

_____ décode bien les mots

_____ s'arrête aux points

_____ respecte les autres signes de ponctuation

_____ commente aisément le texte

_____ fait des prédictions

_____ confirme ou infirme ses prédictions

Compréhension : rappel de l'histoire

	Limité	Adéquat	Complet
Lieu et temps	_____	_____	_____
Personnages	_____	_____	_____
Événements	_____	_____	_____
Séquence logique	_____	_____	_____
Détails	_____	_____	_____

Fluidité

_____ lecture fluide

_____ lecture mot à mot

_____ lecture saccadée

Commentaires : _____

_____

_____

_____

L'évaluation de l'écriture

À l'étape de l'expérimentation (Étape précommunicative)	Apprenti (Étape semi-phonétique)	Débutant (Étape phonétique)	En transition (Étape transitoire)	Compétent (Étape conventionnelle)
Idées	**Idées**	**Idées**	**Idées**	**Idées**
☐ Griffonne des lettres	☐ Certains mots sont reconnaissables	☐ Tente de raconter une histoire ou un fait	☐ Raconte une histoire ou un fait	☐ Idée originale
☐ Tente d'imiter la forme d'un texte	☐ Des dessins accompagnent les mots	☐ Les dessins supportent le texte	☐ Délimite générale-ment bien le sujet	☐ Délimite très bien le sujet
☐ Écrit les lettres au hasard	☐ Accorde plus d'impor-tance aux dessins	☐ Certaines idées sont confuses	☐ Présence de certains détails	☐ Présence de détails intéressants
Organisation	**Organisation**	**Organisation**	**Organisation**	**Organisation**
☐ Tente d'écrire de gauche à droite	☐ Écrit constamment de gauche à droite	☐ Présence d'un titre	☐ Présence d'un titre approprié	☐ Présence d'un titre original
☐ Tente d'écrire de haut en bas	☐ Écrit constamment de haut en bas	☐ Tente de suivre une séquence logique	☐ Présence d'une séquence logique	☐ Fluidité (facile à suivre)
☐ N'applique pas encore le concept début - fin	☐ Tente d'écrire un début	☐ Présence d'un début mais absence de fin	☐ Présence d'un début et d'une fin	☐ Présence d'un début accrocheur et d'une fin appropriée
Expression (voix)	**Expression (voix)**	**Expression (voix)**	**Expression (voix)**	**Expression (voix)**
☐ Communique des émotions par dessins	☐ Traite le sujet de façon prévisible	☐ Exprime des sentiments prévisibles	☐ Rédaction individuelle et expressive	☐ Texte très vivant (variété d'émotions)
☐ Répond de manière ambiguë à la tâche	☐ Présence d'une certaine atmosphère	☐ Répète des idées familières	☐ Tente d'exprimer un point de vue personnel	☐ Intention très claire
☐ N'a aucune conscience du destinataire	☐ N'identifie pas bien le destinataire	☐ A conscience du destinataire	☐ Se soucie du desti-nataire	☐ Se soucie pleinement du destinataire

▶

Nom : _____ Date : _____

L'évaluation de l'écriture (*suite*)

À l'étape de l'expérimentation (Étape précommunicative)	Apprenti (Étape semi-phonétique)	Débutant (Étape phonétique)	En transition (Étape transitoire)	Compétent (Étape conventionnelle)
Choix des mots	**Choix des mots**	**Choix des mots**	**Choix des mots**	**Choix des mots**
☐ Utilise des dessins à la place des mots	☐ Les mots sont reconnaissables	☐ Utilise des mots ordinaires	☐ Utilise correctement ses mots préférés	☐ Utilise bien les mots courants
☐ Écrit des lettres au hasard	☐ Choisit quelques mots non affichés	☐ Utilise des mots nouveaux non appropriés	☐ Utilise quelques mots nouveaux	☐ Utilise des mots originaux et précis
☐ Copie les mots affichés	☐ Écrit correctement les mots affichés	☐ Utilise des clichés et des répétitions	☐ Tente d'utiliser des mots spécifiques	☐ Évite les répétitions et les clichés
Structure des phrases	**Structure des phrases**	**Structure des phrases**	**Structure des phrases**	**Structure des phrases**
☐ Écrit des mots et des lettres isolés	☐ Aligne des mots pour faire des phrases	☐ Utilise beaucoup de phrases simples	☐ Présence de phrases simples	☐ Structure ses phrases correctement
☐ Absence de phrases	☐ Tente d'écrire des phrases simples	☐ Parfois difficile à comprendre	☐ Tente d'écrire des phrases plus complexes	☐ Varie ses phrases
	☐ Répète la même structure de phrase	☐ Les débuts sont souvent similaires	☐ Varie la plupart de ses débuts	☐ Varie ses débuts de phrases

Adapté d' Assessment and Evaluation Program, Northwest Regional Educational Laboratory, Portland, Oregon.

L'évaluation de l'écriture (*suite*)

Nom : _____   Date : _____

À l'étape de l'expérimentation (Étape précommunicative)	Apprenti (Étape semi-phonétique)	Débutant (Étape phonétique)	En transition (Étape transitoire)	Compétent (Étape conventionnelle)
Conventions linguistiques ☐ Attache des lettres de façon aléatoire ☐ Doit expliquer son texte	**Conventions linguistiques** ☐ Début de correspondances son - lettre Exemple: JM (j'aime) ☐ Ajoute des lettres pour allonger les mots ☐ Ponctue aléatoirement	**Conventions linguistiques** ☐ Apparition des voyelles dans les mots Exemple: dans le cile bleu (dans le ciel bleu) ☐ Orthographie peu de mots courants correctement ☐ Utilise parfois la majuscule et le point pour délimiter les phrases	**Conventions linguistiques** ☐ Les mots contiennent l'ensemble des phonèmes ☐ Orthographie correctement la plupart des mots courants ☐ Utilise généralement correctement la majuscule et le point	**Conventions linguistiques** ☐ Épelle correctement les mots courants et orthographie quasi correctement les autres mots ☐ Orthographe grammaticale correcte (pluriel, féminin, accord du déterminant avec le nom) ☐ Utilise toujours correctement la majuscule et le point
Calligraphie ☐ Essaie de tracer des lettres ☐ Tente de laisser des espaces	**Calligraphie** ☐ Entremêle les lettres minuscules et majuscules ☐ Laisse des espaces entre les mots	**Calligraphie** ☐ Texte lisible	**Calligraphie** ☐ Texte très lisible	**Calligraphie** ☐ Très belle calligraphie

Adapté d'*Assessment and Evaluation Program*, Northwest Regional Educational Laboratory, Portland, Oregon.

Reproduction autorisée © Les Éditions de la Chenelière inc.

Nom de l'élève : _____   Date : _____

L'évaluation du processus d'écriture

	Utilise cette stratégie	Utilise la stratégie avec aide	À acquérir
Rédaction d'une ébauche			
Consultation des pairs et de l'enseignante			
Révision du contenu			
Correction (grammaire et orthographe)			
Diffusion			

Commentaires : _____

_____

_____

_____

_____

_____

_____

_____

_____

_____

_____

_____

_____

Nom de l'élève : _____

Fiche de lecture

À remplir par les parents

Date	Titre	Niveau de difficulté*	Temps passé à lire

Parents :

Veuillez écrire vos observations, vos questions ou vos commentaires.

_____

_____

_____

_____

_____

_____

* **F :** Facile   **A :** Adéquat   **D :** Difficile   **P :** Lu par le parent